英単語・熟語 — 2

中学英語
サンシャイン
完全準拠

SUNSHINE
ENGLISH
COURSE

開隆堂

はじめに

この本は，みなさんが使っている開隆堂版中学校英語教科書 SUNSHINE ENGLISH COURSE の内容に沿って作られており，教科書に出てくる順番通りに単語と熟語が掲載されています。

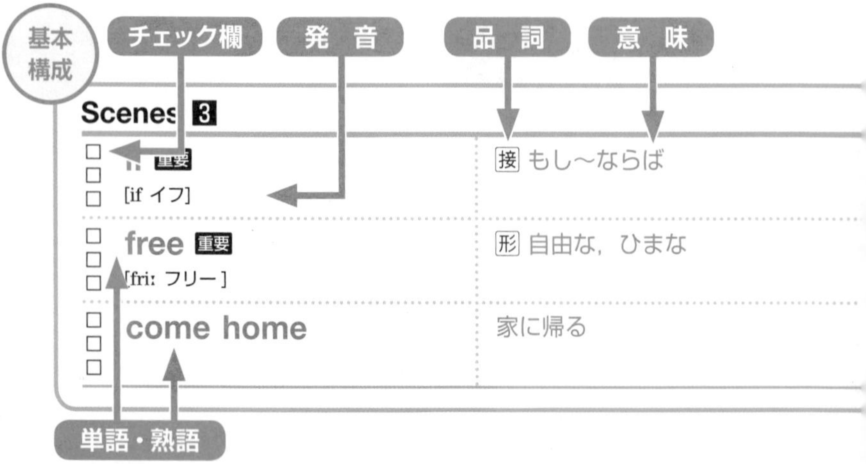

- **太字の単語・熟語**：教科書の傍注や脚注に取り上げられている単語や熟語です（人名や短縮形など一部の単語はのせていません）。
- **細字の単語**：すでに学習していますが，違う意味で使われている単語です。教科書の傍注や脚注には取り上げられていないので注意しましょう。
- **重要のついた単語**：教科書で学ぶ単語のうち特に重要な単語を示します。しっかり覚えて使えるようにしましょう。
- **その他の語句**：人名や地名などの固有名詞や間投詞です。

※教科書の各 PROGRAM の扉ページ（最初のページ）で学ぶ語句は，それぞれの Scenes 1の最初にのせています。

＝つづり注意　＝発音注意

●**品詞**　単語の文中でのはたらきを示す品詞は，次の記号で示してあります。

名 ＝名詞	代 ＝代名詞	動 ＝動詞	助 ＝助動詞	冠 ＝冠詞
形 ＝形容詞	副 ＝副詞	前 ＝前置詞	接 ＝接続詞	間 ＝間投詞

●暗記用赤フィルターの使い方

付属のフィルターを赤色の文字の部分にのせると，文字が見えなくなります。赤色の単語は(　　)に入っているので，(　　)の数がヒントになります。

通学の途中や休み時間などの空き時間を利用して，効率よく暗記をしましょう。

例文の日本語訳　　**教科書ページ**

教科書p.8 ～ p.9

◆ (**If**) you're free today, can you come to our concert?

もし今日ひまならば，私たちのコンサートに来てくれますか。

◆ When you are (**free**), what do you usually do?

ひまなとき，あなたはふつう何をしますか。

◆ When I (**came**) (**home**), my mother was jumping rope.

私が家に帰ったとき，私の母はなわとびをしていました。

例　文

- 原則として，1つの単語や熟語に1つの例文をのせています。

◆：教科書に出てきた文や，教科書に出てきた文とほぼ同じ文です(Listen や Power-Up などのリスニングの英文も含まれています)。

◇：教科書に出てきた文とは異なる例文です。

QR コード：各 PROGRAM の最初のページにのせています。スマートフォンやタブレットで読み取り，単語の読み方を確認しましょう。

テスト直前チェック：各 PROGRAM の区切りに設けています。見開きの一覧で，覚えたもの，覚えていないものが一目で確認できます。テスト前に活用しましょう。

イラストコラム：あるテーマに関するいろいろな単語をイラストを使って示しています。ほかの語と関連づけながら覚えられるので，単語力アップに役立ちます。

特　集：これまでに学習した内容を，表を用いてまとめています。まとめて覚えることで，学習した内容の総復習ができます。

目次

PROGRAM

1 Start of a New School Year …… 6
2 Leave Only Footprints …… 14
3 Taste of Culture …… 32
R Reading ① Gon, the Little Fox …… 44
4 High-Tech Nature …… 56
5 Work Experience …… 70
6 Live Life in True Harmony …… 82
R Reading ② Friendship beyond Time and Borders …… 96
7 A Gateway to Japan …… 106
8 A Hope of Lasting Peace …… 120
R Reading ③ Visas of Hope …… 138

Our Project

④「夢の旅行」を企画しよう …… 40
⑤ こんな人になりたい …… 90
⑥ この1年で得た「宝もの」…… 130

Power-Up

① 天気予報を聞こう …… 22
② 電話をかけよう …… 24
③ レストランで食事をしよう …… 78
④ 空港アナウンスを聞こう …… 116
⑤ メールで近況報告をしよう …… 128

Steps

① 情報をつなげながらメモをとろう …… 10
② 文章の構成を考えよう …… 38
③ 会話をつなげ，深めよう …… 90
④ 相手にわかりやすい説明をしよう …… 112
⑤ 説得力のある主張をしよう …… 126

Word Web

1 スープの材料 …… 26
2 いろいろな形容詞 …… 52
3 楽器の名前 …… 66
4 いろいろな前置詞 …… 102
5 町の風景 …… 132

テスト直前チェック

1 PROGRAM 1，Steps 1 …… 12
2 PROGRAM 2，Power-Up ①，Power-Up ②，Word Web ① …… 28
3 PROGRAM 3，Steps 2，Our Project ④ …… 42
R Reading ①，Word Web ② …… 54
4 PROGRAM 4，Word Web ③ …… 68
5 PROGRAM 5，Power-Up ③ …… 80
6 PROGRAM 6，Steps 3，Our Project ⑤ …… 94
R Reading ②，Word Web ④ …… 104
7 PROGRAM 7，Steps 4，Power-Up ④ …… 118
8 PROGRAM 8, Steps 5, Power-Up ⑤, Our Project ⑥, Word Web ⑤ …… 134
R Reading ③ …… 144

イラストコラム

1 毎日の生活 …… 153
2 台所 …… 154
3 気持ち …… 155

特　集

1 2年生までに習った不規則動詞 …… 146
2 比較級・最上級の作り方 …… 148
3 短縮形のまとめ …… 149
4 いろいろな＜動詞＋前置詞＞ …… 150
5 いろいろな＜be 動詞＋形容詞＋前置詞＞ …… 151
6 いろいろな＜動詞＋副詞＞ …… 152

さくいん …… 156

PROGRAM 1

Start of a New School Year

Scenes 1

□□□	**start** [stɑːrt スタート]	名 開始，始まり
□□□	**next** [nekst ネクスト]	形 次の，今度の
□□□	**plan** [plæn プラン]	名 計画，プラン
□□□	**be going to ～**	～するつもりだ

Scenes 2

□□□	**will** 重要 [wil ウィル]	助 ～しようと思う，～でしょう
□□□	**évening** 重要 [íːvniŋ イーヴニング] ▶in the evening	名 晩，夕方 ▶夕方に，夜に

Scenes 3

□□□	**if** 重要 [if イフ]	接 もし～ならば
□□□	**free** 重要 [friː フリー]	形 自由な，ひまな
□□□	**come home**	家に帰る

Think 1

□□□	**nóthing** 重要 [nʌ́θiŋ ナスィング]	代 何も～ない

教科書p.8 ~ p.9

◆ This is the (**start**) of a new school year.
これが新学年の始まりです。

◇ What are you going to do (**next**) Friday?
あなたは今度の金曜日に何をするつもりですか。

◆ Sam, do you have any (**plans**) for this weekend?
サム，あなたは今週末に何か計画はありますか。

◆ (**I'm**) (**going**) (**to**) have a concert with Joe next Sunday.
私は今度の日曜日にジョーとコンサートを開く予定です。

教科書p.8 ~ p.9

◇ I (**will**) answer the phone.
私が電話に出ましょう。

◆ It'll rain (**in**) (**the**) (**evening**).
夕方に雨が降るでしょう。

教科書p.8 ~ p.9

◆ (**If**) you're free today, can you come to our concert?
もし今日ひまならば，私たちのコンサートに来てくれますか。

◆ When you are (**free**), what do you usually do?
ひまなとき，あなたはふつう何をしますか。

◆ When I (**came**) (**home**), my mother was jumping rope.
私が家に帰ったとき，私の母はなわとびをしていました。

教科書p.10

◆ *A:* Do you have any plans for next Saturday? — *B:* (**Nothing**) special.
A: あなたは次の土曜日に何か計画がありますか。— *B:* 特に何もありません。

□□□ **move** 重要 [muːv ムーヴ]	動 引っ越す
□□□ **farewéll** [feərwél フェアウェル]	名 別れ
□□□ **pléasure** [pléʒər プレジャ] ▶My pleasure.	名 喜び ▶喜んで。
□□□ **by the way**	ところで
□□□ **What's up?**	どうしたの。

Think 2

□□□ **care** 重要 [keər ケア] ▶take care	名 注意，用心 ▶気をつける，注意する
□□□ **lócal** [lóukəl ロウカル]	形 地元の
□□□ **bit** [bit ビト] ▶a little bit	名 少し ▶少し
□□□ **wórried** rrに注意 [wə́ːrid ワーリド]	形 心配な
□□□ **soon** 重要 [suːn スーン]	副 すぐに，まもなく
□□□ **hope** 重要 [houp ホウプ]	動 望む，希望する
□□□ **forgét** 重要 [fərgét フォゲト]	動 忘れる
□□□ **keep** [kiːp キープ] ▶keep in touch	動 続ける ▶連絡を取り続ける

◆ Miki is going to (move) to Canada.
美希はカナダに引っ越す予定です。

◆ I'm planning a (farewell) party for her.
私は彼女のお別れ会を計画しています。

◆ *A:* Can you join me? − *B:* Sure. (My) (pleasure).
A: あなたは参加できますか。 − *B:* もちろんです。喜んで。

◆ (By) (the) (way), do you have any plans for next Saturday?
ところで，次の土曜日に何か計画はありますか。

◆ Nothing special. (What's) (up)?
特に(予定は)何もありません。どうしたのですか。

教科書p.11

◆ Please (take) (care).
どうか気をつけてください。

◆ Are you going to go to a (local) school?
あなたは地元の学校に通う予定ですか。

◇ It's (a) (little) (bit) hot today.
今日は少し暑いです。

◆ I'm a little bit (worried).
私は少し不安です。

◆ You'll make new friends (soon).
あなたにはすぐに新しい友だちができるでしょう。

◆ I (hope) so.
私はそう望んでいます。

◆ I won't (forget) you all.
私はあなたたちみんなを忘れません。

◆ (Keep) (in) (touch), Miki.
連絡を取り続けましょう，美希。

□□□	**email** [í:meil **イ**ーメイル]	動 (電子)メールを送る

Think 3

□□□	**sang** 重要 [sæŋ サング]	動 sing(歌う)の過去形
□□□	**almost** 重要 [ɔ́:lmoust **オ**ールモウスト]	副 もう少しで，すんでのことで～するところ
□□□	**cry** 重要 [krai クライ]	動 泣く
□□□	stay [stei ステイ]	名 滞在
□□□	**overseas** [ouvərsí:z オウヴァ**スィ**ーズ]	副 外国に，海外へ
□□□	**do my best**	最善[ベスト]をつくす
□□□	**say hello to ～**	～によろしくと言う

Steps 1

情報をつなげながらメモをとろう

□□□	**said** 重要 [sed セド]	動 say(言う)の過去形《過去分詞形も同形》

◆ I'll （email） you often.
私はあなたたちにしばしばメールを送ろうと思います。

教科書p.12

◆ Everyone （sang） a song for me.
みんなが私のために歌を歌ってくれました。

◆ I （almost） cried.
私はもう少しで泣きそうでした。

◇ The boy was （crying）.
その少年は泣いていました。

◇ I enjoyed my （stay） in Kyoto.
私は京都での滞在を楽しみました。

◆ This will be my first long stay （overseas）.
これは私の初めての海外での長期滞在となるでしょう。

◆ I will （do）（my）（best） at my new school.
私は新しい学校で最善をつくすつもりです。

◆ Please （say）（hello）（to） everyone.
どうかみんなによろしく伝えてください。

教科書p.16

◆ You （said）, "On Saturday, I washed my dogs."
あなたは「土曜日，私はイヌを洗いました。」と言いましたよね。

テスト直前チェック ①

PROGRAM 1

☑ start	開始，始まり
☑ next	次の，今度の
☑ plan	計画，プラン
☑ be going to ～	～するつもりだ
☑ **will**	～しようと思う，～でしょう
☑ **evening**	晩，夕方
☑ in the evening	夕方に，夜に
☑ **if**	もし～ならば
☑ **free**	自由な，ひまな
☑ come home	家に帰る
☑ **nothing**	何も～ない
☑ **move**	引っ越す
☑ farewell	別れ
☑ pleasure	喜び
☑ My pleasure.	喜んで。
☑ by the way	ところで
☑ What's up?	どうしたの。
☑ **care**	注意，用心
☑ take care	気をつける，注意する
☑ local	地元の
☑ bit	少し
☑ a little bit	少し
☑ worried	心配な
☑ **soon**	すぐに，まもなく
☑ **hope**	望む，希望する
☑ **forget**	忘れる
☑ keep	続ける
☑ keep in touch	連絡を取り続ける
☑ email	(電子)メールを送る
☑ **sang**	sing(歌う)の過去形
☑ **almost**	もう少しで，すんでのことで～するところ
☑ **cry**	泣く
☑ stay	滞在
☑ overseas	外国に，海外へ
☑ do my best	最善[ベスト]をつくす
☑ say hello to ～	～によろしくと言う

Steps 1

☑ **said**	say(言う)の過去形《過去分詞形も同形》

時を表す語句

◆現在を表す語

・now「今」

My brother is in America now.

（私の兄は今アメリカにいます。）

every day は現在でも過去でも使います。

◆過去を表す語句

・yesterday「昨日（は）」

・last ～「（この）前の～」

・～ ago「（今から）～前に」

I visited a park with my dog yesterday.

（私は昨日犬と公園を訪れました。）

◆未来を表す語句

・tomorrow「明日（は）」

・next ～「次の，今度の」

It will be cold next week.

（来週は寒くなるでしょう。）

気をつけよう　現在の文？　過去の文？

She read an English book.

主語が she（＝三人称単数）なのに，read に s がついていない！

→この read は過去形［red］

※ read，cut，hit など，原形と過去形が同じ形の動詞には気をつけましょう。

PROGRAM 2

Leave Only Footprints

Scenes 1

footprint [fútprint フトプリント]	名 足跡
worry 重要 （rrに注意） [wə́ːri ワーリ]	動 心配する
easy 重要 [íːzi イーズィ]	形 たやすい
difficult 重要 [dífikʌlt ディフィカルト]	形 難しい
history 重要 [híst*ə*ri ヒストゥリ]	名 歴史
interested 重要 [ínt*ə*rəstid インタレステド] ▶be interested in ~	形 興味がある ▶~に興味がある
case [keis ケイス]	名 ケース
go hiking	ハイキングに行く

Scenes 2

garbage [gɑ́ːrbidʒ ガービヂ]	名 ごみ，（台所の）生ごみ
must 重要 [mʌst, məst マスト]	助 ~しなければならない
pick [pik ピク] ▶pick up ~	動 つまみとる ▶~を拾い上げる，手に取る
potato chip [pətéitou tʃip ポテイトウ　チプ]	名 ポテトチップ

教科書p.17 ～ p.19

◇ I found （footprints） near my school.
私は学校の近くで足跡を見つけました。

◆ Don't （worry）.
心配しないでください。

◇ Today's English test was （easy）.
今日の英語の試験は簡単でした。

◇ This is a （difficult） problem.
これは難しい問題です。

◆ I like （history）.
私は歴史が好きです。

◇ Tom （is） （interested） （in） *shogi*.
トムは将棋に興味があります。

◆ I think your pencil （case） is nice.
あなたの筆箱はすてきだと思います。

◆ Let's （go） （hiking）.
ハイキングに行きましょう。

教科書p.18 ～ p.19

◆ There's some （garbage） here.
ここにごみがあります。

◆ We （must） leave school by six o'clock.
私たちは６時までに学校を出なければなりません。

◆ We must （pick） it （up）.
私たちはそれを拾わなければなりません。

◆ You can eat the （potato） （chips）.
あなたはそのポテトチップを食べてもよいです。

□□□ **hállway** [hɔ́ːlwei **ホールウェイ**]	名 廊下

その他の語句 ・ úh-oh [ʌ́ou **アオウ**] ああ（驚いたり，困ったときに出る声）

Scenes 3

□□□ **húrry** [hə́ːri **ハーリ**] rrに注意	動 急ぐ
□□□ **have to ～**	～しなければならない
□□□ **don't have to ～**	～する必要がない
□□□ **go to bed**	寝る

Think 1

□□□ **éverything** 重要 [évriθiŋ **エ**ヴリスィング]	代 すべてのこと
□□□ **true** [truː トルー]	形 ほんとうの
□□□ **guide** [gaid ガイド] uiに注意	動 案内する，道案内する

Think 2

□□□ **rule** [ruːl ルール]	名 規則，ルール
□□□ **bring** 重要 [briŋ ブリング]	動 持ってくる

◆ We must not run in the (hallway).
私たちは廊下を走ってはいけません。

教科書p.18 ~ p.19

◇ (Hurry)! The bus is coming.
急ぎなさい。バスが来ています。

◆ We (have) (to) hurry.
急がなければなりません。

◇ We (don't) (have) (to) go to school tomorrow.
私たちは明日学校へ行く必要はありません。

◇ I (go) (to) (bed) at ten every day.
私は毎日，10時に寝ます。

教科書p.20

◆ I think (everything) is fine.
何もかもうまくいっていると思います。

◆ Is that (true)?
ほんとうですか。

◆ My uncle Eric will (guide) us.
私のおじのエリックが私たちを案内してくれるでしょう。

教科書p.21

◆ Let's check the hiking (rules).
ハイキングのルールを確認しましょう。

◆ We must (bring) our garbage home.
私たちはごみを家に持ち帰らなければなりません。

□□□ **protect** [prətékt プロ**テ**クト]	動 守る，保護する
□□□ **trouble** [trʌ́bl ト**ラ**ブル] ouに注意	名 困りごと，困難
□□□ **Here we go.**	さあ，行きますよ。
□□□ **first of all**	何よりもまず

Think 3

□□□ **believe** 重要 [bilíːv ビ**リー**ヴ]	動 思う，信じる
□□□ **beaver** [bíːvər **ビー**ヴァ]	名 ビーバー
□□□ **national** [nǽʃənl **ナ**ショヌル]	形 国の
□□□ **build** 重要 [bild ビルド] uiに注意	動 建てる
□□□ **dam** [dæm ダム]	名 ダム
□□□ **lodge** [lɑdʒ ラヂ]	名 (ビーバーなどの)巣
□□□ **exactly** [igzǽktli イグ**ザ**クトリ]	副 正確に，(Exactly.で)まったくそのとおり。
□□□ **engineer** [endʒiníər エンヂ**ニ**ア]	名 技術者，エンジニア
□□□ **cut down ～**	～を切り倒す

◆ We must (protect) nature.
私たちは自然を守らなければなりません。

◆ If you have any (trouble), please tell me.
もし何か困ったことがあれば教えてください。

◇ (Here) (we) (go). Please follow me.
さあ，行きますよ。私についてきてください。

◇ (First) (of) (all), let's do our homework.
何よりもまず，宿題をしましょう。

教科書p.22

◆ I (believe) a beaver did it.
私はビーバーがそれをしたのだと思います。

◆ You know a lot about (beavers)?
あなたはビーバーについてたくさんのことを知っているのですか。

◆ They're one of Canada's (national) animals.
それらはカナダの国獣の一つです。

◇ My uncle is going to (build) a new house.
私のおじは新しい家を建てる予定です。

◆ They build (dams) and lodges.
彼らはダムや巣を作ります。

◆ They sleep in their (lodges) during the day.
彼らは昼間，巣の中で眠ります。

◇ *A:* You are from London, right? — *B:* (Exactly).
A: あなたがたはロンドンの出身ですよね。 — *B:* まったくそのとおり。

◆ They're great (engineers).
彼らはすばらしい技術者です。

◆ Who (cut) (down) this tree?
だれがこの木を切り倒したのでしょうか。

□□□	**a lot**	たくさん

Interact

□□□	**should** 重要 ouに注意 [ʃud, ʃəd シュド]	助 ～すべきである，～したほうがよい
□□□	**pet** [pet ペト]	名 ペット
□□□	**shárpen** [ʃɑ́ːrpən **シャー**パン]	動 (つめなどを)とぐ，とがらせる
□□□	**nail** [neil ネイル]	名 つめ
□□□	**fúrniture** [fə́ːrnitʃər **ファー**ニチャ]	名 家具
□□□	**férret** [férit **フェ**リト]	名 フェレット
□□□	**góldfish** [góuldfiʃ **ゴ**ウルドフィシュ]	名 金魚
□□□	**hámster** [hǽmstər **ハ**ムスタ]	名 ハムスター
□□□	**párrot** [pǽrət **パ**ロト]	名 オウム
□□□	**squírrel** [skwə́ːrəl スク**ワー**レル]	名 リス
□□□	**túrtle** [tə́ːrtl **ター**トル]	名 カメ

◇ We ate (a) (lot) at the party.
私たちはそのパーティーでたくさん食べました。

教科書p.24

◆ I think we (should) visit Arashiyama.
私たちは嵐山を訪れるべきだと思います。

◆ I think cats are good (pets).
ネコはよいペットだと思います。

◆ Cats often (sharpen) their nails on furniture.
ネコはしばしば家具でつめをとぎます。

◇ I cut my dog's (nails) yesterday.
私は昨日，自分のイヌのつめを切りました。

◇ My father wants to buy some new (furniture).
父は新しい家具を買いたいと思っています。

◇ I have a (ferret).
私はフェレットを飼っています。

◇ This (goldfish) is very beautiful.
この金魚はとても美しいです。

◇ Do you like (hamsters)?
あなたはハムスターが好きですか。

◇ My sister wants a (parrot).
私の妹はオウムをほしがっています。

◇ Look at that (squirrel).
あのリスを見てください。

◇ I want to touch the big (turtle).
私はその大きなカメをさわりたいです。

Power-Up 1

天気予報を聞こう

□□□ **windy** [wíndi ウィンディ]	形 風のある，風の強い
□□□ **temperature** [témpərətʃər テンパラチャ]	名 温度，気温
□□□ **low** 重要 [lou ロウ]	名（温度などの）最低値
□□□ **degree** [digríː ディグリー]	名 度（温度の単位）
□□□ **coat** [kout コウト]	名 コート，外とう
□□□ **shower** [ʃáuər シャウア]	名 にわか雨，夕立ち 動 にわか雨が降る
□□□ **raincoat** [réinkout レインコウト]	名 レインコート
□□□ **later** 重要 [léitər レイタ]	副 あとで，後に
□□□ **minus** [máinəs マイナス]	形 氷点下の，マイナスの
□□□ **Good evening.**	こんばんは。

その他の語句
- Montreal [mɑntriɔ́ːl マントリオール] モントリオール（カナダの都市）
- Vancouver [vænkúːvər ヴァンクーヴァ] バンクーバー（カナダの都市）
- CBC [siːbiːsíː スィービースィー] シービーシー（放送局名）

教科書p.26

◆ In the afternoon, it'll be (**windy**).
午後は風が強くなるでしょう。

◇ What is the (**temperature**) today?
今日の気温はどのくらいですか。

◆ The (**low**) will be 2 degrees, and the high will be 14.
最低気温は２度，最高気温は14度になるでしょう。

◆ The low will be minus 5 (**degrees**).
最低気温は氷点下５度になるでしょう。

◆ You'll need a warm (**coat**).
温かいコートが必要でしょう。

◆ We'll have (**showers**) in the evening today.
今日の夕方に，にわか雨が降るでしょう。

◆ You'll need a (**raincoat**).
レインコートが必要でしょう。

◆ (**Later**), it will be sunny in the afternoon.
後に午後は晴れるでしょう。

◇ It is (**minus**) 3 degrees in Hokkaido now.
今，北海道は氷点下３度です。

◆ (**Good**) (**evening**), this is J. C. Smith for CBC Vancouver.
こんばんは，こちらはCBCバンクーバーのJ. C.スミスです。

- Wínnipeg [wínəpeg **ウィ**ニペグ]
  ウィニペグ（カナダの都市）
- Yéllowknife [jélounaif **イェ**ロウナイフ]
  イエローナイフ（カナダの都市）

Power-Up 2

電話をかけよう

□□□ **late** 重要 [leit レイト] ▶be late for ~	形 遅れた，遅い ▶~に遅れる
□□□ **máybe** 重要 [méibi **メ**イビ]	副 たぶん，おそらく
□□□ **may** 重要 [mei メイ] ▶May I ~?	助 ~してよい ▶~してもよろしいですか。
□□□ **méeting** [míːtiŋ **ミ**ーティング]	名 会合，集まり
□□□ **could** 重要 [kud, kəd クド] ▶Could you ~?	助 can(~できる)の過去形 ▶~していただけませんか。
□□□ **skétchbook** [skétʃbuk ス**ケ**チブク]	名 スケッチブック
□□□ hold [hould ホウルド] ▶Hold on.	動 電話を切らないで待つ ▶(電話で)お待ちください。
□□□ **móment** [móumənt **モ**ウメント] ▶Just a moment.	名 少しの間，一瞬 ▶少々お待ちください。
□□□ **wrong** 重要 Wに注意 [rɔːŋ ローング]	形 間違っている
□□□ **Who's calling?**	(電話で)どちら様ですか。
□□□ **Good morning.**	おはよう。
□□□ **See you.**	またね。[じゃあね。]

教科書p.27

◆ Sorry, but I'll (be) (late) (for) class.
すみませんが，授業に遅れます。

◆ (Maybe) I'll be there after nine o'clock.
たぶん私は9時以降に到着するでしょう。

◆ (May) (I) speak to Matt?
マットはいますか。

◆ We have a (meeting) tomorrow, right?
明日，私たちは集まりがありますよね。

◆ (Could) (you) bring your sketchbook?
スケッチブックを持ってきていただけませんか。

◇ I have to buy a new (sketchbook).
私は新しいスケッチブックを買わなければなりません。

◆ (Hold) (on), please.
お待ちください。

◇ (Just) (a) (moment). I'll check the picture.
少々お待ちください。その写真を確認します。

◆ I think you have the (wrong) number.
番号をお間違えのようです。

◆ (Who's) (calling), please?
どちら様ですか。

◇ (Good) (morning). It's hot today.
おはようございます。今日は暑いですね。

◇ I have to go home now. (See) (you).
もう帰らなきゃ。またね。

Word Web ① スープの材料

□□□ **onion** [ʌ́njən **ア**ニョン]	名 タマネギ
□□□ **cabbage** [kǽbidʒ **キャ**ビヂ]	名 キャベツ
□□□ **carrot** [kǽrət **キャ**ロト]	名 ニンジン
□□□ **broccoli** [brɑ́kəli ブ**ラ**コリ]	名 ブロッコリー
□□□ **pumpkin** [pʌ́mpkin **パ**ンプキン]	名 カボチャ
□□□ **mushroom** [mʌ́ʃruːm **マ**シュルーム]	名 キノコ
□□□ **cheese** [tʃiːz チーズ]	名 チーズ

◆スープは「食べる」

英語ではふつう，drink soup 「スープを飲む」とは言いません。食事と同じようにスプーンやフォークを使って食べるので，eat soup 「スープを食べる」と言うのが一般的です。

スプーンやフォークを使わずに，直接口をつけてスープを飲むときは，drink soupと言うこともあります。

教科書p.28

□□□	**bácon** [béikən ベイコン]	名 ベーコン
□□□	**bútter** [bʌ́tər バタ]	名 バター
□□□	**salt** [sɔːlt ソールト]	名 塩
□□□	**pépper** [pépər ペパ]	名 コショウ
□□□	**sóy sauce** [sɔ́i sɔːs ソイ　ソース]	名 しょうゆ
□□□	**oríginal** [ərídʒənəl オリヂナル]	形 独創的な

◆いろいろな野菜

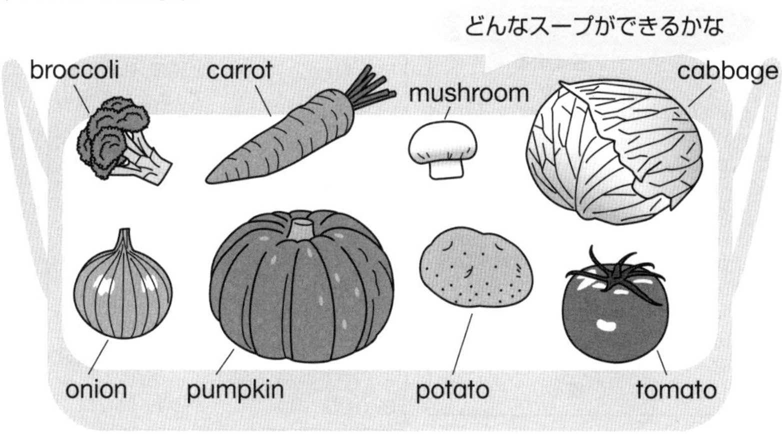

テスト直前チェック ②

PROGRAM 2

☑ footprint	足跡
☑ **worry**	心配する
☑ **easy**	たやすい
☑ **difficult**	難しい
☑ **history**	歴史
☑ **interested**	興味がある
☑ be interested in ～	～に興味がある
☑ case	ケース
☑ go hiking	ハイキングに行く
☑ garbage	ごみ，(台所の)生ごみ
☑ **must**	～しなければならない
☑ pick	つまみとる
☑ pick up ～	～を拾い上げる，手に取る
☑ potato chip	ポテトチップ
☑ hallway	廊下
☑ hurry	急ぐ
☑ have to ～	～しなければならない
☑ don't have to ～	～する必要がない
☑ go to bed	寝る

☑ **everything**	すべてのこと
☑ true	ほんとうの
☑ guide	案内する，道案内する
☑ rule	規則，ルール
☑ **bring**	持ってくる
☑ protect	守る，保護する
☑ trouble	困りごと，困難
☑ Here we go.	さあ，行きますよ。
☑ first of all	何よりもまず
☑ **believe**	思う，信じる
☑ beaver	ビーバー
☑ national	国の
☑ **build**	建てる
☑ dam	ダム
☑ lodge	(ビーバーなどの)巣
☑ exactly	正確に，(Exactly.で)まったくそのとおり。
☑ engineer	技術者，エンジニア
☑ cut down ～	～を切り倒す
☑ a lot	たくさん
☑ **should**	～すべきである，～したほうがよい
☑ pet	ペット

☑ sharpen	(つめなどを)とぐ，とがらせる
☑ nail	つめ
☑ furniture	家具
☑ ferret	フェレット
☑ goldfish	金魚
☑ hamster	ハムスター
☑ parrot	オウム
☑ squirrel	リス
☑ turtle	カメ

Power-Up ❶

☑ windy	風のある，風の強い
☑ temperature	温度，気温
☑ **low**	(温度などの)最低値
☑ degree	度(温度の単位)
☑ coat	コート，外とう
☑ shower	にわか雨，夕立ち，にわか雨が降る
☑ raincoat	レインコート
☑ **later**	あとで，後に
☑ minus	氷点下の，マイナスの
☑ Good evening.	こんばんは。

Power-Up ❷

☑ **late**	遅れた，遅い
☑ be late for ～	～に遅れる
☑ **maybe**	たぶん，おそらく
☑ **may**	～してよい
☑ May I ～?	～してもよろしいですか。
☑ meeting	会合，集まり
☑ **could**	can(～できる)の過去形
☑ Could you ～?	～していただけませんか。
☑ sketchbook	スケッチブック
☑ hold	電話を切らないで待つ
☑ Hold on.	(電話で)お待ちください。
☑ moment	少しの間，一瞬
☑ Just a moment.	少々お待ちください。
☑ **wrong**	間違っている
☑ Who's calling?	(電話で)どちら様ですか。
☑ Good morning.	おはよう。
☑ See you.	またね。[じゃあね。]

Word Web ❶

⧄ **tomato**	トマト
⧄ onion	タマネギ
⧄ cabbage	キャベツ
⧄ carrot	ニンジン
⧄ broccoli	ブロッコリー
⧄ pumpkin	カボチャ
⧄ **potato**	ジャガイモ
⧄ mushroom	キノコ
⧄ cheese	チーズ
⧄ bacon	ベーコン
⧄ butter	バター
⧄ salt	塩
⧄ pepper	コショウ
⧄ soy sauce	しょうゆ
⧄ original	独創的な

英語になった日本語

日本文化が海外で人気になり，日本語がそのまま英語になったものがあります。

◆食べ物

◆文化

◆スポーツ

PROGRAM 3

Taste of Culture

Scenes 1

□□□ **táste** [teist テイスト]	名 風味，味わい
□□□ **híp-hop** [híphɑp ヒプハプ]	名 ヒップホップ(音楽のジャンルの1つ)
□□□ **rácket** 重要 [rǽkit ラキト]	名 ラケット
□□□ **light** [lait ライト]	形 軽い
□□□ **expénsive** 重要 [ikspénsiv イクスペンスィヴ]	形 高価な，高い
□□□ **présent** 重要 [préznt プレズント]	名 贈り物，プレゼント

Scenes 2

□□□ **step** [step ステプ]	名 (複数形で)(ダンスの)ステップ
□□□ **quiz** [kwiz クウィズ]	名 小テスト
□□□ **cháracter** chに注意 [kǽriktər キャリクタ]	名 (劇・小説・マンガなどの)登場人物，キャラクター

Scenes 3

□□□ **Go for it.**	がんばって。

その他の語句 ・New Yórk [njuː jɔ́ːrk ニューヨーク]
ニューヨーク(アメリカの都市，または州)

教科書p.29 ~ p.31

◇ The soup had a good (**taste**).
そのスープはよい味でした。

◆ I like (**hip-hop**) dance.
私はヒップホップダンスが好きです。

◆ My (**racket**) is old.
私のラケットは古いです。

◆ I want to buy a (**light**) racket.
私は軽いラケットを買いたいです。

◇ This bag is (**expensive**).
このかばんは高価です。

◆ I hope to get a good racket for my birthday (**present**).
私は誕生日プレゼントによいラケットをもらいたいです。

教科書p.30 ~ p.31

◆ Your dance (**steps**) are great!
あなたのダンスのステップはすばらしいです。

◆ We have a math (**quiz**) today.
今日は数学の小テストがありますね。

◆ She sometimes draws her favorite (**characters**).
彼女はときどきお気に入りのキャラクターを描きます。

教科書p.30 ~ p.31

◆ *A:* I have a lot of things to do. — *B:* (**Go**) (**for**) (**it**).
A: 私にはすることがたくさんあります。 — *B:* がんばってください。

・Bróadway [brɔ́ːdwei ブロードウェイ] ブロードウェイ(ニューヨーク市を南北に走る大通りのひとつで，一流劇場が多く集まっている地区)

3

Think 1

	単語	意味
□□□	**córn dog** [kɔ́ːrn dɔːg コーン　ドーグ]	名 アメリカンドッグ
□□□	**cótton cándy** [kátn kǽndi カトン　キャンディ]	名 綿あめ

Think 2

	単語	意味
□□□	**véndor**　orに注意 [véndər ヴェンダ]	名 物売り
□□□	**prétzel** [prétsəl プレツェル]	名 プレッツェル(塩味のカリッとしたビスケット)
□□□	**lóbster** [lábstər ラブスタ]	名 ロブスター(大型の食用エビ)
□□□	**nóodle** [núːdl ヌードル]	名 めん類，ヌードル
□□□	**instéad** [instéd インステド]　▶instead of ～	副 その代わりに ▶～の代わりに
□□□	**bun** [bʌn バン]	名 ハンバーガーやホットドッグ用の小型パン
□□□	**～, and so on**	～など

Think 3

	単語	意味
□□□	**tóothpick** [túːθpik トゥースピク]	名 つまようじ
□□□	**show** [ʃou ショウ]	動 示す，見せる

教科書p.32

◇ I ate a (**corn**) (**dog**) at the festival.
私はお祭りでアメリカンドッグを食べました。

◇ I want to have (**cotton**) (**candy**).
私は綿あめを食べたいです。

教科書p.33

◆ There are many street (**vendors**) in New York.
ニューヨークにはたくさんの屋台商人がいます。

◇ I'll buy (**pretzels**).
私はプレッツェルを買うつもりです。

◇ Do you want to eat (**lobster**) salad?
あなたはロブスターサラダを食べたいですか。

◆ They use *ramen* (**noodles**) instead of buns.
それらはパンの代わりにラーメンのめんを使います。

◇ I'll go there (**instead**) (**of**) him.
私が彼の代わりにそこへ行きます。

◇ I like this hamburger. The (**buns**) are very soft.
私はこのハンバーガーが好きです。パンがとてもやわらかいのです。

◇ I need notebooks, pens, erasers, (**and**) (**so**) (**on**).
私はノート，ペン，消しゴムなどが必要です。

教科書p.34

◆ Some people use (**toothpicks**) to eat it.
つまようじでそれを食べる人がいます。

◇ I will (**show**) the pictures of my family to you.
私はあなたに家族写真を見せましょう。

□□□ **each** 重要 [iːtʃ イーチ]	形 それぞれの
□□□ **look like ～**	～のように見える
□□□ **Some ～. Others ….**	～もいれば，…もいる。
□□□ **around the world**	世界じゅうに[で]

その他の語句 ・the Netherlands [ðə néðərləndz ザ ネザランヅ]
オランダ（Hollandの正式名）

Interact

□□□ **healthy** [hélθi ヘルスィ]	形 健康によい
□□□ **voice** 重要 [vɔis ヴォイス]	名 声
□□□ **actor** orに注意 [ǽktər アクタ]	名 役者
□□□ **soil** [sɔil ソイル]	名 土壌，土
□□□ **farm** [fɑːrm ファーム]	名 農場
□□□ **machine** chに注意 [məʃíːn マシーン]	名 機械
□□□ **in the future**	将来に[は]
□□□ **come true**	実現する

◆ I think street food shows (each) country's food culture.
屋台料理はそれぞれの国の食文化を教えてくれると私は思います。

◆ It (looks) (like) *sashimi*.
それは刺身のように見えます。

◇ (Some) people like baseball. (Others) like soccer.
野球が好きな人もいれば，サッカーが好きな人もいます。

◆ (Around) (the) (world) there are many kinds of street food to try.
世界じゅうには，試してみるべき多くの種類の屋台料理があります。

・Dutch [dʌtʃ ダチ] オランダ(人)の

教科書p.36

◆ I want to grow (healthy) vegetables.
私は健康によい野菜を育てたいです。

◆ I want to be a (voice) actor.
私は声優になりたいです。

◇ My cousin was an (actor) ten years ago.
私のいとこは10年前，役者でした。

◆ I have to learn about (soil).
私は土壌について学ばなければなりません。

◇ My grandfather works at his (farm).
私の祖父は自分の農場で働いています。

◇ The (machine) is very expensive.
その機械はとても高価です。

◆ What do you want to be (in) (the) (future)?
あなたは将来，何になりたいですか。

◆ I hope your dream will (come) (true).
私はあなたの夢が実現することを望んでいます。

Steps 2

文章の構成を考えよう

□□□ **tall** 重要 [tɔːl トール]	形 背の高い
□□□ **tówer** [táuər タウア]	名 塔，タワー

その他の語句 ・Bíg Bén [bíg bén ビグ　ベン]

ビッグベン(イギリス国会議事堂の時計塔にある大きな鐘の愛称)

英語ではないカタカナ語

カタカナ語として日本語になっているこのことばの全部が，英語が元になっているわけではありません。

たとえば，pan は英語では「(片手の)なべ」という意味です。食べる「パン」は bread と言います。

英語としては使われていないこのようなことばを覚えておきましょう。

◆食べ物

・「ホットケーキ」pancake
・「フライドポテト」French fries
・「アイスコーヒー」iced coffee
・「シュークリーム」cream puff
・「ピーマン」green pepper
・「サイダー」soda

教科書p.38

◆ It's a (**tall**) clock tower.

それは高い時計塔です。

◇ Can you see the (**tower**) over there?

向こうに塔が見えますか。

・the British Museum [ðə brítiʃ mjuːzíːəm ザ **ブ**リティシュ ミュー**ズィ**ーアム]

大英博物館

建物・施設

・「マンション」apartment

・「ガソリンスタンド」gas station

・「ポスト」mailbox

・「ジェットコースター」roller coaster

◆衣類

・「ビーチサンダル」flip-flops

・「パーカー」hoodie

・「マフラー」scarf

・「ファスナー」zipper

・「ワイシャツ」dress shirt

◆身のまわりのもの

・「ノートパソコン」laptop

・「シャープペンシル」mechanical pencil

・「ナイター」night game

・「コンセント」outlet, socket

・「テレビゲーム」video game

Our Project 4

「夢の旅行」を企画しよう

□□□ **close** [klous クロウス] ▶up close	副 ([klous]で)近くに ▶すぐ近くで[に]
□□□ **cóttage** [kɑ́tidʒ **カ**ティヂ]	名 小別荘，小ロッジ
□□□ **cóconut** [kóukənʌt **コ**ウコナト]	名 ココナッツ
□□□ **cóokie** [kúki **ク**キ]	名 クッキー
□□□ **amóng** 重要 [əmʌ́ŋ ア**マ**ング] (oに注意)	前 ～の間で[に]，～の中で[に]
□□□ **tóurist** [túərist **トゥ**アリスト] (ouに注意)	名 旅行者，観光客
□□□ **surf** [səːrf サーフ]	動 サーフィンをする
□□□ **spot** [spɑt スパト]	名 場所，地点
□□□ **séafood** [síːfuːd **スィ**ーフード]	名 シーフード，海産物
□□□ **sky** [skai スカイ]	名 空

その他の語句 ・Tahíti [təhíːti タ**ヒ**ーティ] タヒチ(島)

教科書p.39 ~ p.43

◆ You can see turtles (up) (close).
あなたはすぐ近くでカメを見ることができます。

◆ You can stay in a nice (cottage).
あなたはすてきな小別荘に泊まることができます。

◆ (Coconut) cookies are popular among tourists.
ココナッツクッキーは観光客の間で人気があります。

◇ My mother made (cookies) for me.
母は私のためにクッキーを作ってくれました。

◇ Is the singer famous (among) you?
その歌手はあなたたちの間で有名ですか。

◇ A lot of (tourists) come to Kyoto every year.
毎年たくさんの観光客が京都に来ます。

◆ Can I go (surfing)?
サーフィンに行くことはできますか。

◆ There are many good (spots) in Tahiti.
タヒチにはたくさんのよい場所があります。

◇ I like (seafood) very much.
私はシーフードがとても好きです。

◇ We can see some birds in the (sky).
空に数羽の鳥が見えます。

テスト直前チェック ③

PROGRAM 3

☑ taste	風味，味わい
☑ hip-hop	ヒップホップ(音楽のジャンルの1つ)
☑ **racket**	ラケット
☑ light	軽い
☑ **expensive**	高価な，高い
☑ **present**	贈り物，プレゼント
☑ step	(複数形で)(ダンスの)ステップ
☑ quiz	小テスト
☑ character	(劇・小説・マンガなどの)登場人物，キャラクター
☑ Go for it.	がんばって。
☑ corn dog	アメリカンドッグ
☑ cotton candy	綿あめ
☑ vendor	物売り
☑ pretzel	プレッツェル(塩味のカリッとしたビスケット)
☑ lobster	ロブスター(大型の食用エビ)
☑ noodle	めん類，ヌードル
☑ instead	その代わりに
☑ instead of ～	～の代わりに
☑ bun	ハンバーガーやホットドッグ用の小型パン
☑ ～, and so on	～など
☑ toothpick	つまようじ
☑ show	示す，見せる
☑ **each**	それぞれの
☑ look like ～	～のように見える
☑ Some ～. Others	～もいれば，…もいる。
☑ around the world	世界じゅうに[で]
☑ healthy	健康によい
☑ **voice**	声
☑ actor	役者
☑ soil	土壌，土
☑ farm	農場
☑ machine	機械
☑ in the future	将来に[は]
☑ come true	実現する

Steps 2

☑ **tall**	背の高い
☑ tower	塔，タワー

Our Project ❹

⧄ close	([klous]で)近くに
⧄ up close	すぐ近くで[に]
⧄ cottage	小別荘，小ロッジ
⧄ coconut	ココナッツ
⧄ cookie	クッキー
⧄ **among**	～の間で[に]，～の中で[に]
⧄ tourist	旅行者，観光客
⧄ surf	サーフィンをする
⧄ spot	場所，地点
⧄ seafood	シーフード，海産物
⧄ sky	空

Reading 1

Gon, the Little Fox

1

eel [iːl イール]	名 ウナギ
decíde 重要 [disáid ディサイド]	動 決定する
trick [trik トリク] ▶play a trick on ～	名 いたずら ▶～にいたずらをする
one day	ある日

2

out 重要 [aut アウト] ▶out of ～	副 外へ[に] ▶～の外へ[に]
básket [bǽskit バスキト]	名 かご
tooth [tuːθ トゥース]	名 歯
teeth [tiːθ ティース]	名 tooth(歯)の複数形
shout [ʃaut シャウト]	動 叫ぶ
sly [slai スライ]	形 ずるい，悪賢い
ran [ræn ラン]	動 run(走る)の過去形
come back	もどる

教科書p.44

◆ He was catching fish and (eels).
彼は魚やウナギを捕まえているところでした。

◆ Gon (decided) to play a trick on him.
ごんは彼にいたずらをしようと決めました。

◇ My sister sometimes (plays) (a) (trick) (on) me.
私の妹はときどき私にいたずらをします。

◆ (One) (day), Gon went down to the river.
ある日，ごんは川のほうまで下って行きました。

教科書p.44

◆ Gon took the fish (out) (of) Hyoju's basket.
ごんは兵十のかごから魚を出しました。

◇ Whose (basket) is this?
これはだれのかごですか。

◇ The girl has a bad (tooth).
その少女には虫歯があります。

◆ Gon picked up the eel by his (teeth).
ごんは歯でウナギをつかみました。

◆ Hyoju came back and (shouted).
兵十はもどってきて叫びました。

◆ "Hey, you (sly) fox!"
「こらあ，このずる賢いキツネめ。」

◇ I (ran) to the station this morning.
私は今朝，駅へ走って行きました。

◇ My friend will (come) (back) to Japan next month.
私の友だちは来月日本にもどってきます。

☐☐☐ **run away**	逃げる

3

☐☐☐ **line** 重要 [lain ライン]	名 列，行列
☐☐☐ **clothes** 重要 [klouz クロウズ]	名 衣服，着物
☐☐☐ **probably** [prábəbli プラバブリ]	副 たぶん，十中八九
☐☐☐ **die** 重要 [dai ダイ]	動 死ぬ
☐☐☐ **himself** [himsélf ヒムセルフ] ▶say to himself	代 彼自身に[を] ▶心の中で考える

4

☐☐☐ **thought** 重要 ghに注意 [θɔːt ソート]	動 think(考える)の過去形《過去分詞形も同形》
☐☐☐ **sick** 重要 [sik スィク]	形 病気の
☐☐☐ **steal** [stiːl スティール]	動 盗む
☐☐☐ **stole** [stoul ストウル]	動 steal(盗む)の過去形
☐☐☐ **heart** [hɑːrt ハート]	名 心
☐☐☐ **sink** [siŋk スィンク]	動 沈む，落ち込む

◇ The white cat (**ran**) (**away**).
白いネコは逃げました。

教科書p.44

◆ Ten days later, Gon saw a (**line**) of people.
10日後，ごんは人々の列を見ました。

◆ They were wearing white (**clothes**).
彼らは白い着物を着ていました。

◆ Hyoju's mother (**probably**) died.
たぶん兵十のおっかあが死んだんだな。

◇ His grandfather (**died**) last year.
彼のおじいさんは昨年亡くなりました。

◆ Gon (**said**) (**to**) (**himself**).
ごんは心の中で考えました。

教科書p.45

◆ Gon (**thought**), "She wanted to eat eel."
ごんは考えました。「彼女はウナギを食べたがっていたのだ。」

◆ Hyoju's mother was (**sick**).
兵十の母は病気でした。

◇ My dog tried to (**steal**) my shoe.
私のイヌが私のくつを盗もうとしました。

◆ I (**stole**) the eel.
わしがウナギを盗んでしまった。

◇ He has a warm (**heart**).
彼は温かい心を持っています。

◇ Why did the ship (**sink**)?
その船はなぜ沈んだのですか。

□□□ **sank** [sæŋk サンク]	動 sink(沈む)の過去形
□□□ **I'm sorry.**	すみません。

5

□□□ **brought** 重要 ghに注意 [brɔːt ブロート]	動 bring(持ってくる)の過去形《過去分詞形も同形》
□□□ **left** 重要 [left レフト]	動 leave(置いていく, 出発する)の過去形《過去分詞形も同形》
□□□ **neighbor** ghに注意 [néibər **ネ**イバ]	名 隣人
□□□ **strange** [stréindʒ スト**レ**インヂ]	形 奇妙な
□□□ **happen** [hǽpn **ハ**プン]	動 起こる
□□□ **door** 重要 [dɔːr ドー]	名 ドア, 扉
□□□ **someone** 重要 [sʌ́mwʌn **サ**ムワン]	代 だれか
□□□ **one night**	ある夜[晩]
□□□ **these days**	このごろ, 近ごろ

6

□□□ **rifle** [ráifl **ラ**イフル]	名 銃

◆ Gon's heart (sank).
ごんの心は沈みました。

◆ "(I'm) (sorry), Hyoju."
「すまない，兵十。」

教科書p.44 ～ p.45

◆ From the next day, Gon (brought) many chestnuts.
次の日から，ごんはたくさんのクリを持ってきました。

◆ Gon (left) chestnuts at Hyoju's house.
ごんは兵十の家にクリを置きました。

◆ One night, Hyoju said to his (neighbor).
ある晩，兵十は隣人に言いました。

◆ These days (strange) things are happening.
このごろ，奇妙なことが起こっているんだ。

◇ What (happened) there?
そこで何が起こったのですか。

◆ Every day I find chestnuts at my (door).
毎日，戸口でクリを見つけるんだ。

◆ (Someone) brings them when I'm not at home.
おれが家にいないときに，だれかがそれを持ってきているんだよ。

◇ (One) (night), a woman visited my house.
ある晩，１人の女性が私の家を訪ねてきました。

◇ (These) (days) I am busy.
このごろ，私は忙しいです。

教科書p.46

◆ Hyoju picked up his (rifle) and shot.
兵十は銃を拾い上げて撃ちました。

□□□ **this time**	今度は

7

□□□ **fell** [fel フェル]	動 fall(倒れる)の過去形
□□□ **ground** 重要 [graund グラウンド]	名 地面
□□□ **nod** [nɑd ナド]	動 うなずく
□□□ **wéakly** [wíːkli **ウィ**ークリ]	副 弱く，弱々しく
□□□ **smoke** [smouk スモウク]	名 煙
□□□ **bárrel** [bǽrəl **バ**レル]	名 銃身
□□□ **look around**	あたりを見回す

3rd Stage

□□□ **drop** [drɑp ドラプ]	動 落とす
□□□ **be sorry for ～**	～をすまないと思う
□□□ **fall down**	倒れる

◆ (This) (time) Hyoju saw Gon.
今回は，兵十はごんを見ました。

教科書p.46

◆ Gon (fell) to the ground.
ごんは地面に倒れました。

◇ Don't sit down on the (ground).
地面にすわってはいけません。

◇ The student (nodded) and said, "Yes."
その生徒はうなずいて「はい。」と言いました。

◆ Gon nodded (weakly).
ごんは弱々しくうなずきました。

◆ (Smoke) was still rising from the barrel.
銃身から，まだ煙が立ち上がっていました。

◇ Don't touch the (barrel).
その銃身にさわってはいけません。

◆ Hyoju (looked) (around) and found the chestnuts.
兵十はあたりを見回して，クリを見つけました。

教科書p.47

◆ Hyoju (dropped) his rifle.
兵十は銃を落としました。

◆ Gon (was) (sorry) (for) stealing the eel.
ごんはウナギを盗んだことをすまないと思いました。

◆ Gon (fell) (down).
ごんは倒れました。

Word Web ② いろいろな形容詞

□□□	**cheap** [tʃiːp チープ]	形 安価な，安い
□□□	**expensive** [ikspénsiv イクスペンスィヴ]	形 高価な，高い
□□□	**dirty** [də́ːrti ダーティ]	形 汚れた，汚い
□□□	**empty** [émpti エンプティ]	形 からの
□□□	**heavy** [hévi ヘヴィ]	形 重い
□□□	**narrow** [nǽrou ナロウ]	形 狭い

◆反対の意味を表す形容詞

cheap ⇔ expensive

clean ⇔ dirty

empty ⇔ full

heavy ⇔ light

教科書p.48

□□□	**wide** [waid ワイド]	形 広い
□□□	**thick** [θik スィク]	形 厚い
□□□	**thin** [θin スィン]	形 薄い
□□□	**wet** [wet ウェト]	形 ぬれている
□□□	**dry** [drai ドライ]	形 乾燥した，かわいた
□□□	**ring** [riŋ リング]	名 指輪

high ⇔ low

narrow ⇔ wide

right ⇔ wrong

thick ⇔ thin

wet ⇔ dry

テスト直前チェック R❶

Reading ❶	
⧄ eel	ウナギ
⧄ **decide**	決定する
⧄ trick	いたずら
⧄ play a trick on ～	～にいたずらをする
⧄ one day	ある日
⧄ **out**	外へ[に]
⧄ out of ～	～の外へ[に]
⧄ basket	かご
⧄ tooth	歯
⧄ teeth	tooth(歯)の複数形
⧄ shout	叫ぶ
⧄ sly	ずるい，悪賢い
⧄ ran	run(走る)の過去形
⧄ come back	もどる
⧄ run away	逃げる
⧄ **line**	列，行列
⧄ **clothes**	衣服，着物
⧄ probably	たぶん，十中八九
⧄ **die**	死ぬ
⧄ himself	彼自身に[を]
⧄ say to himself	心の中で考える
⧄ **thought**	think(考える)の過去形《過去分詞形も同形》
⧄ **sick**	病気の
⧄ steal	盗む
⧄ stole	steal(盗む)の過去形
⧄ heart	心
⧄ sink	沈む，落ち込む
⧄ sank	sink(沈む)の過去形
⧄ I'm sorry.	すみません。
⧄ **brought**	bring(持ってくる)の過去形《過去分詞形も同形》
⧄ **left**	leave(置いていく，出発する)の過去形《過去分詞形も同形》
⧄ neighbor	隣人
⧄ strange	奇妙な
⧄ happen	起こる
⧄ **door**	ドア，扉
⧄ **someone**	だれか
⧄ one night	ある夜[晩]
⧄ these days	このごろ，近ごろ
⧄ rifle	銃
⧄ this time	今度は

☑ fell	fall(倒れる)の過去形
☑ **ground**	地面
☑ nod	うなずく
☑ weakly	弱く，弱々しく
☑ smoke	煙
☑ barrel	銃身
☑ look around	あたりを見回す
☑ drop	落とす
☑ be sorry for ～	～をすまないと思う
☑ fall down	倒れる

☑ narrow	狭い
☑ wide	広い
☑ **right**	正しい
☑ **wrong**	間違っている
☑ thick	厚い
☑ thin	薄い
☑ wet	ぬれている
☑ dry	乾燥した，かわいた
☑ ring	指輪

Word Web ❷

☑ cheap	安価な，安い
☑ **expensive**	高価な，高い
☑ **clean**	きれいな
☑ dirty	汚れた，汚い
☑ empty	からの
☑ full	いっぱいの，満ちた
☑ heavy	重い
☑ **light**	軽い
☑ **high**	高い
☑ **low**	低い

PROGRAM 4

High-Tech Nature

Scenes 1

☐☐☐ **hígh-téch** [háiték **ハイテク**]	[形] ハイテクの，高度先端技術の
☐☐☐ **than** 重要 [ðæn, ðən ザン]	[接] [前] ～よりも
☐☐☐ **more** 重要 [mɔːr モー]	[副] もっと(muchの比較級)
☐☐☐ **Mt.** [maunt マウント]	[名] ～山(=Mount)

Scenes 2

☐☐☐ **hate** [heit ヘイト]	[動] ひどく嫌う
☐☐☐ **most** 重要 [moust モウスト]	[副] もっとも(muchの最上級)
☐☐☐ **ráinbow** [réinbou **レインボウ**]	[名] 虹
☐☐☐ **because of ～**	～のために

Scenes 3

☐☐☐ **as** 重要 [æz, əz アズ]	[副] [接] (as ～ as ... の形で)…と同じくらい～
☐☐☐ **not as ～ as ...**	…ほど～ない
☐☐☐ **céntimeter** [séntimiːtər **センティミータ**]	[名] センチメートル(長さの単位)

教科書p.49 ~ p.51

◇ My father bought a (**high-tech**) camera yesterday.

私の父は昨日ハイテクなカメラを買いました。

◆ The gray cup is cuter (**than**) the yellow one.

灰色のカップは黄色のカップよりかわいいですね。

◆ It's (**more**) expensive than the yellow cup.

それは黄色のカップより高いですね。

◇ (**Mt.**) Fuji is beautiful.

富士山は美しいです。

教科書p.50 ~ p.51

◆ I (**hate**) the rain.

雨は嫌いです。

◆ I think June is the (**most**) wonderful month.

私は6月がいちばんすばらしい月だと思います。

◇ Look at that (**rainbow**)!

あの虹を見てください。

◇ We could not go on a field trip (**because**) (**of**) rain.

雨のために，私たちは遠足へ行くことができませんでした。

教科書p.50 ~ p.51

◆ I think this cup is (**as**) big (**as**) hers.

このカップは彼女のカップと同じくらいの大きさだと思います。

◆ This cup is (**not**) (**as**) heavy (**as**) hers.

このカップは彼女のカップほど重くありません。

◆ Tokugawa Ieyasu was about 159 (**centimeters**) tall.

徳川家康の身長は約159センチメートルでした。

Think 1

□□□	**lotus** [lóutəs **ロ**ウタス]	名 ハス
□□□	**leaf** [liːf リーフ]	名 葉
□□□	**leaves** [liːvz リーヴズ]	名 leaf(葉)の複数形
□□□	**raindrop** [réindrɑp **レ**インドラプ]	名 雨だれ，雨つぶ
□□□	**company** [kʌ́mpəni **カ**ンパニ]	名 会社
□□□	**effect** [ifékt イ**フェ**クト]	名 効果
□□□	**yogurt** [jóugəːrt **ヨ**ウガート]	名 ヨーグルト
□□□	**lid** [lid リド]	名 ふた
□□□	stick [stik スティク] ▶stick to ~	動 くっつく ▶~にくっつく
□□□	may [mei メイ]	助 ~かもしれない

Think 2

□□□	**kingfisher** [kíŋfiʃər **キ**ングフィシャ]	名 カワセミ
□□□	**give** 重要 [giv ギヴ]	動 与える

教科書p.52

◆ These (lotus) leaves are so big!
これらのハスの葉はとても大きいです。

◆ That (leaf) is bigger than my hat.
あの葉は私の帽子より大きいです。

◇ The tree has a lot of (leaves).
その木にはたくさんの葉があります。

◆ (Raindrops) are running off them.
雨つぶがすべり落ちています。

◆ A Japanese (company) is using this effect with yogurt lids.
ある日本の会社はこの効果をヨーグルトのふたに利用しています。

◇ The food has a great (effect) on us.
その食べ物は私たちにすばらしい効果をもたらします。

◇ I ate (yogurt) for breakfast.
私は朝食にヨーグルトを食べました。

◇ Can you open the (lid)?
ふたを開けてくれませんか。

◆ Yogurt doesn't (stick) (to) the lids!
ヨーグルトはふたにくっつきません。

◆ It (may) be more interesting than yogurt lids.
それはヨーグルトのふたよりもおもしろいかもしれません。

教科書p.53

◇ That bird is a (kingfisher).
あの鳥はカワセミです。

◇ I will (give) these flowers to Emma.
私はエマにこれらの花をあげるつもりです。

□ □ □	gave 重要 [geiv ゲイヴ]	動 give(与える)の過去形
□ □ □	loud [laud ラウド]	形 (音・声が)大きな
□ □ □	noise [nɔiz ノイズ]	名 騒音
□ □ □	énter [éntər **エ**ンタ]	動 入る
□ □ □	túnnel [tʌ́nl **タ**ヌル]	名 トンネル
□ □ □	solve [sɑlv サルヴ]	動 解決する，解く
□ □ □	dive [daiv ダイヴ]	動 飛び込む
□ □ □	withóut 重要 [wiðáut ウィ**ザ**ウト]	前 ～なしで
□ □ □	splash [splæʃ スプラシュ]	名 水しぶき，(水などの)ザブンという音
□ □ □	módel [mádl **マ**ドル]	動 (手本にして)作る
□ □ □	beak [biːk ビーク]	名 くちばし

Think 3

□ □ □	bee [biː ビー]	名 ハチ
□ □ □	pénny [péni **ペ**ニ]	名 アメリカの１セント硬貨(直径約19mm)

◆ The bird (**gave**) a hint to a Shinkansen engineer.
その鳥はある新幹線の技術者にヒントを与えました。

◇ His voice is very (**loud**).
彼の声はとても大きいです。

◆ Shinkansen made a loud (**noise**).
新幹線は大きな騒音を立てました。

◇ When he (**entered**) my room, I was sleeping.
彼が私の部屋に入ったとき，私は眠っていました。

◇ There is a long (**tunnel**) over there.
向こうに長いトンネルがあります。

◆ Was the bird helpful to (**solve**) this problem?
その鳥はこの問題を解決するのに役立ったのですか。

◆ The bird (**dives**) into water without a splash.
その鳥は水しぶきもなく水に飛び込みます。

◇ We can't finish the work (**without**) you.
私たちはあなたなしではその仕事を終えることはできません。

◇ I saw a big (**splash**) then.
そのとき，私は大きな水しぶきを見ました。

◇ I (**modeled**) this character after my grandmother.
私は祖母をモデルにこのキャラクターを作りました。

◇ The bird has a long (**beak**).
その鳥には長いくちばしがあります。

教科書p.54

◆ These are (**bee**) robots.
これらはハチのロボットです。

◆ Each robot is as small as a (**penny**), a U.S. coin.
それぞれのロボットはアメリカのコインである1セント硬貨と同じくらい小さいです。

☐☐☐ **coin** [kɔin コイン]	名 硬貨
☐☐☐ **paper clip** [péipər klip ペイパ　クリプ]	名 ペーパークリップ
☐☐☐ **able** 重要 [éibl エイブル] ▶be able to ～	形 ～ができる ▶～することができる
☐☐☐ **potential** [pəténʃəl ポテンシャル]	名 可能性
☐☐☐ **agriculture** [ǽgrikʌltʃər アグリカルチャ]	名 農業
☐☐☐ **carry** 重要 [kǽri キャリ]	動 運ぶ
☐☐☐ **pollen** [pálən パルン]	名 花粉
☐☐☐ **search** [səːrtʃ サーチ]	名 捜索，探索
☐☐☐ **rescue** [réskjuː レスキュー]	名 救助
☐☐☐ **space** [speis スペイス]	名 空間
☐☐☐ **talent** [tǽlənt タレント]	名 才能，適性
☐☐☐ **plant** [plænt プラント]	名 植物
☐☐☐ **creature** [kríːtʃər クリーチャ]	名 生物

◇ I have a gold (**coin**).
私は金貨を持っています。

◆ The robot is not as heavy as a (**paper**) (**clip**).
そのロボットはペーパークリップほど重くありません。

◆ The robot (**is**) (**able**) (**to**) fly in the sky.
そのロボットは空を飛ぶことができます。

◆ These robots have great (**potential**).
これらのロボットには大きな可能性があります。

◇ I'm interested in (**agriculture**).
私は農業に興味があります。

◇ (**Carry**) these books to your room.
これらの本をあなたの部屋へ運びなさい。

◇ Bees carry (**pollen**) to flowers.
ハチは花粉を花へ運びます。

◆ These robots will be useful for (**search**) and rescue.
これらのロボットは探索や救助に役立つでしょう。

◇ The (**rescue**) team will arrive soon.
その救助チームはすぐに到着するでしょう。

◇ I'll put my desk in this (**space**).
私は自分の机をこの空間に置くつもりです。

◆ Each living thing has amazing (**talents**).
どんな生き物にもすばらしい才能があります。

◆ We can learn a lot from (**plants**).
私たちは植物から多くのことを学ぶことができます。

◇ There are many (**creatures**) in forests.
森にはたくさんの生物がいます。

Interact

smartphone [smáːrtfoun スマートフォウン]	名 スマートフォン
boring [bɔ́ːriŋ ボーリング]	形 退屈な，つまらない
interview [íntərvjuː インタヴュー]	動 インタビューする
money 重要 [mʌ́ni マニ]	名 金，通貨
health 重要 [helθ ヘルス]	名 健康
friendship [fréndʃip フレンドシプ]	名 親交，友情

英語のしくみ

better 重要 [bétər ベタ]	形 good（よい）の比較級 副 well（よく）の比較級

虹は何色？

教科書p.56

◇ I want a new (**smartphone**).
私は新しいスマートフォンがほしいです。

◇ That movie was very (**boring**).
その映画はとても退屈でした。

◆ I (**interviewed**) ten friends.
私は10人の友だちにインタビューしました。

◇ I think health is more important than (**money**).
私は，健康はお金よりも重要だと思います。

◇ Swimming is good for our (**health**).
泳ぐことは私たちの健康によいです。

◇ Our (**friendship**) is true.
私たちの友情は本物です。

教科書p.57

◆ Meg is a (**better**) singer than Kumi.
メグは久美よりもよい歌手です。

「虹の色は？」と聞かれたら，全部言えますか？
日本では「赤」，「オレンジ」，「黄」，「緑」，「青」，「藍」，「紫」の7色。
アメリカでは「赤」，「オレンジ」，「黄」，「緑」，「青」，「紫」の6色。
ドイツでは「赤」，「オレンジ」，「黄」，「緑」，「青」の5色。
8色と考えている国や，2色と考えている国もありますよ。

Word Web ③ 楽器の名前

□□□	**xýlophone** [záiləfoun **ザ**イロフォウン]	名 シロフォン，木琴
□□□	**harp** [hɑː*r*p ハープ]	名 ハープ
□□□	**drums** [drʌmz ドラムズ]	名 たいこ，ドラム

◆いろいろな楽器

教科書p.58

□□□	**harmónica** [hɑːrmɑ́nikə ハー**マ**ニカ]	名 ハーモニカ
□□□	**cóntrabass** [kɑ́ntrəbeis **カ**ントラベイス]	名 コントラバス
□□□	**sáxophone** [sǽksəfoun **サ**クソフォウン]	名 サクソフォン，サックス

◆「ドレミファソラシド」英語で言える？

音楽で使われている「ドレミファソラシド」は，イタリア語です。日本以外では，イタリアやフランスなどで使われています。

アメリカやイギリスなど，英語を話す国々ではアルファベットを使って次のように音の名前を表します。

国名	読み方						
日本 イタリア	ド	レ	ミ	ファ	ソ	ラ	シ
アメリカ イギリス	C	D	E	F	G	A	B

テスト直前チェック ④

PROGRAM 4

☑ high-tech	ハイテクの，高度先端技術の
☑ **than**	～よりも
☑ **more**	もっと(much の比較級)
☑ Mt.	～山(=Mount)
☑ hate	ひどく嫌う
☑ **most**	もっとも(much の最上級)
☑ rainbow	虹
☑ because of ～	～のために
☑ **as**	(as ～ as ... の形で)…と同じくらい～
☑ not as ～ as ...	…ほど～ない
☑ centimeter	センチメートル(長さの単位)
☑ lotus	ハス
☑ leaf	葉
☑ leaves	leaf(葉)の複数形
☑ raindrop	雨だれ，雨つぶ
☑ company	会社
☑ effect	効果
☑ yogurt	ヨーグルト
☑ lid	ふた
☑ stick	くっつく
☑ stick to ～	～にくっつく
☑ may	～かもしれない
☑ kingfisher	カワセミ
☑ **give**	与える
☑ **gave**	give(与える)の過去形
☑ loud	(音・声が)大きな
☑ noise	騒音
☑ enter	入る
☑ tunnel	トンネル
☑ solve	解決する，解く
☑ dive	飛び込む
☑ **without**	～なしで
☑ splash	水しぶき，(水などの)ザブンという音
☑ model	(手本にして)作る
☑ beak	くちばし
☑ bee	ハチ
☑ penny	アメリカの１セント硬貨(直径約19mm)
☑ coin	硬貨
☑ paper clip	ペーパークリップ
☑ **able**	～ができる

☑ be able to ～	～することができる
☑ potential	可能性
☑ agriculture	農業
☑ **carry**	運ぶ
☑ pollen	花粉
☑ search	捜索，探索
☑ rescue	救助
☑ space	空間
☑ talent	才能，適性
☑ plant	植物
☑ creature	生物
☑ smartphone	スマートフォン
☑ boring	退屈な，つまらない
☑ interview	インタビューする
☑ **money**	金，通貨
☑ **health**	健康
☑ friendship	親交，友情
☑ **better**	good（よい）の比較級 well（よく）の比較級

☑ xylophone	シロフォン，木琴
☑ harp	ハープ
☑ **drums**	たいこ，ドラム
☑ harmonica	ハーモニカ
☑ contrabass	コントラバス
☑ violin	バイオリン
☑ **guitar**	ギター
☑ saxophone	サクソフォン，サックス
☑ **piano**	ピアノ

Word Web ❸

☑ trumpet	トランペット
☑ flute	フルート

PROGRAM 5

Work Experience

Scenes 1

□□□ **chess** (SSに注意) [tʃes チェス]	名 チェス
□□□ **unicycle** [júnisaikl **ユ**ニサイクル]	名 一輪車
□□□ **be good at ～**	～が得意である

Scenes 2

□□□ **meter** 重要 [míːtə*r* **ミ**ータ]	名 メートル
□□□ **become** 重要 [bikʌ́m ビ**カ**ム]	動 ～になる
□□□ **get ～ place**	（競争などで）～位になる

Scenes 3

□□□ **score** [skɔː*r* スコー]	名 得点，成績
□□□ **story** 重要 [stɔ́ːri ス**ト**ーリ]	名 話，物語
□□□ **lend** [lend レンド]	動 貸す
□□□ **Give me five.**	ハイタッチしよう。

教科書p.60 ～ p.61

◆ I know how to play (**chess**).
私はチェスの遊び方を知っています。

◇ Lisa wants a (**unicycle**) for her birthday.
リサは誕生日に一輪車がほしいと思っています。

◆ (**You're**) really (**good**) (**at**) *kendama*.
あなたはほんとうにけん玉が得意ですね。

教科書p.60 ～ p.61

◆ We ran 1,500 (**meters**).
私たちは1,500メートル走りました。

◆ You'll (**become**) a good athlete.
あなたはすばらしいアスリートになるでしょう。

◆ I (**got**) first (**place**).
私は１位でした。

教科書p.60 ～ p.61

◆ I'll show you my (**score**).
私の点数を見せましょう。

◆ Please tell me a funny (**story**).
おもしろい話を私に教えてください。

◇ Please (**lend**) me the book.
私にその本を貸してください。

◆ Great. (**Give**) (**me**) (**five**).
すごい。ハイタッチしましょう。

Think 1

□□□	**treat** [triːt トリート]	動 扱う
□□□	**kíndly** [káindli **カ**インドリ]	副 親切に
□□□	**goods** [gudz グヅ]	名 商品，品物
□□□	**shelf** [ʃelf シェルフ]	名 たな
□□□	**shelves** [ʃelvz シェルヴズ]	名 shelf(たな)の複数形
□□□	**pack** [pæk パク]	名 1包み[箱]
□□□	**mistáke** [mistéik ミス**テ**イク] ▶by mistake	名 間違い，手違い ▶誤って，間違って
□□□	**blame** [bleim ブレイム]	動 とがめる，責める，非難する
□□□	**Good for you.**	よかったですね。

Think 2

□□□	**remémber** 重要 [rimémbər リ**メ**ンバ]	動 覚えている，思い出す
□□□	**wáiting room** [wéitiŋ ruːm **ウェ**イティング　ルーム]	名 待合室
□□□	**lónely** [lóunli **ロ**ウンリ]	形 さびしい

教科書p.62

◆ The staff members (**treated**) me very kindly.
従業員の人たちが私にとても親切に接してくれました。

◇ She always speaks (**kindly**) to children.
彼女はいつも子どもたちに親切に話しかけます。

◆ I placed many (**goods**) on the shelves.
私はたなにたくさんの商品を並べました。

◇ This (**shelf**) is taller than my mother.
このたなは私の母より背が高いです。

◇ There are three (**shelves**) in my room.
私の部屋には３つのたながあります。

◆ I dropped a (**pack**) of eggs on the floor by mistake.
私は誤ってたまごのパックを床に落としてしまいました。

◇ I called him (**by**) (**mistake**).
私は誤って彼に電話をかけてしまいました。

◆ No one (**blamed**) me.
だれも私を責めませんでした。

◇ *A:* I won first place. − *B:* (**Good**) (**for**) (**you**).
A: 私は優勝しました。 − *B:* よかったですね。

教科書p.63

◆ What do you (**remember**) the most?
いちばん覚えていることは何ですか。

◆ I saw an old man in the (**waiting**) (**room**).
私は待合室で一人のおじいさんを見かけました。

◆ He looked (**lonely**).
彼はさびしそうに見えました。

□□□	**spoke** [spouk スポウク]	動 speak(話す)の過去形
□□□	**listener** [lísnə*r* **リ**スナ]	名 聞き手
□□□	**while** [*h*wail (ホ)**ワ**イル]	接 ～する間に
□□□	**action** [ǽkʃən **ア**クション] ▶take action	名 行動 ▶行動を起こす

Think 3

□□□	**mailman** [méilmæn **メ**イルマン]	名 郵便配達員
□□□	**package** [pǽkidʒ **パ**キヂ]	名 包み
□□□	**sweaty** [swéti ス**ウェ**ティ]	形 汗びっしょりの，汗をかいた
□□□	**alone** [əlóun ア**ロ**ウン]	副 ひとりで
□□□	**son** 重要 [sʌn サン]	名 息子
□□□	**daughter** 重要 [dɔ́ːtə*r* **ド**ータ]	名 娘
□□□	**glad** 重要 [glæd グラド] ▶be glad to ～	形 うれしい ▶～してうれしい
□□□	**taught** 重要 ghに注意 [tɔːt トート]	動 teach(教える)の過去形《過去分詞形も同形》
□□□	**importance** [impɔ́ːrtəns イン**ポ**ータンス]	名 重要性，大切さ

◆ You (**spoke**) to him?
あなたは彼に話しかけたのですか。

◆ I just tried to be a good (**listener**).
私はただよい聞き手になろうとしました。

◆ He looked very happy (**while**) he was talking.
彼は話している間とてもうれしそうに見えました。

◆ I learned that to (**take**) (**action**) was important.
私は行動を起こすことが大切なのだということを学びました。

教科書p.64

◆ I went to a house on a hill with a (**mailman**).
私は郵便配達員の人と丘の上にある家に行きました。

◆ We walked up the hill with a big (**package**).
私たちは大きな包みを持って丘を歩いて登っていきました。

◆ It was a hot day, so we got all (**sweaty**).
暑い日だったので，私たちは汗びっしょりになりました。

◆ An old woman lived there (**alone**).
そこにはおばあさんがひとりで住んでいました。

◆ She found out it was from her (**son**).
彼女はそれが息子からのものだと気づきました。

◇ Ms. Tanaka has three (**daughters**).
田中さんには３人の娘がいます。

◆ I (**was**) so (**glad**) (**to**) see that.
私はそれを見てとてもうれしくなりました。

◇ My brother (**taught**) me English.
私の兄が私に英語を教えてくれました。

◇ I learned the (**importance**) of working for others.
私は他人のために働くことの大切さを学びました。

□□□	**walk up ～**	歩いて～を上る
□□□	**find out ～**	～を知る，～に気づく
□□□	**many times**	何回も

Interact

□□□	**arm** [ɑː*r*m アーム]	名 腕
□□□	**chocolate** [tʃɔ́ːkələt **チョ**ークレト]	名 チョコレート
□□□	**excited** 重要 [iksáitid イク**サ**イティド]	形 興奮した
□□□	**bored** [bɔː*r*d ボード]	形 退屈した

英語のしくみ

□□□	**became** 重要 [bikéim ビ**ケ**イム]	動 become(～になる)の過去形
□□□	**send** 重要 [send センド]	動 送る

◇ Let's (walk) (up) to the top of that hill.
あの丘の頂上まで歩いて登りましょう。

◇ What did you (find) (out), Tom?
トム，何がわかりましたか。

◆ She looked very happy and thanked us (many) (times).
彼女はとてもうれしそうで，何度も私たちにお礼を言いました。

教科書p.66

◆ Move your legs and (arms) fast.
脚と腕を速く動かしなさい。

◆ I'll give you this (chocolate).
あなたにこのチョコレートをあげましょう。

◇ I was (excited) at the news.
私はその知らせに興奮しました。

◇ I was (bored) yesterday.
私は昨日，退屈していました。

教科書p.67

◆ Rika (became) a famous singer.
里香は有名な歌手になりました。

◆ Please (send) me a postcard from Canada.
どうか私にカナダから絵はがきを送ってください。

Power-Up 3

レストランで食事をしよう

☐☐☐ **party** [pá:rti パーティ]	名 一行，一団
☐☐☐ **ready** [rédi レディ] ▶be ready to ～	形 準備[用意]ができた ▶～する準備[用意]ができている
☐☐☐ **order** [ɔ́:rdər オーダ]	動 注文する
☐☐☐ **recommend** （mmに注意） [rekəménd レコメンド]	動 勧める
☐☐☐ **taste** [teist テイスト]	動 (～な)味がする
☐☐☐ **else** [els エルス]	副 ほかに[の]
☐☐☐ **Good afternoon.**	こんにちは。
☐☐☐ **Would you like ～?**	～はいかがですか。

助動詞would，couldを使った表現

will や can の過去形 would や could を使うと，丁寧な言い方になります。はじめて会った人やお店の人，目上の人などと話すときは，would や coul を使うとよいでしょう。

①許可を求めるとき

Can I open the window?（窓を開けてもよいですか。）

↓

Could I open the window, Mr. Brown?

（窓を開けてもよろしいでしょうか，ブラウン先生

教科書p.68

◆ How many in your (party)?
あなたたちご一行は何名様でしょうか。

◆ Are you (ready) to order?
ご注文の準備はよろしいでしょうか。

◇ Mao (ordered) spaghetti and orange juice.
真央はスパゲッティとオレンジジュースを注文しました。

◆ What do you (recommend)?
おすすめは何でしょうか。

◆ The Sunshine Pizza (tastes) good.
サンシャインピザはおいしいですよ。

◆ Anything (else)?
ほかに何か(ご注文は)ありますか。

◆ (Good) (afternoon).
こんにちは。

◆ (Would) (you) (like) something to drink?
お飲み物はいかがでしょうか。

注文するとき

I want a hamburger. (私はハンバーガーがほしいです。)

I would like to have a hamburger. (ハンバーガーをいただけますか。)

would や could を使った表現まとめ

- Would [Could] you ~? ～していただけませんか。
- Could I ~? ～してもよろしいでしょうか。
- would like to ~ ～したいと思う
- Would you like ~? ～はいかがですか。

テスト直前チェック ⑤

PROGRAM 5	
☑ chess	チェス
☑ unicycle	一輪車
☑ be good at ～	～が得意である
☑ **meter**	メートル
☑ **become**	～になる
☑ get ～ place	(競争などで)～位になる
☑ score	得点，成績
☑ **story**	話，物語
☑ lend	貸す
☑ Give me five.	ハイタッチしよう。
☑ treat	扱う
☑ kindly	親切に
☑ goods	商品，品物
☑ shelf	たな
☑ shelves	shelf(たな)の複数形
☑ pack	1包み[箱]
☑ mistake	間違い，手違い
☑ by mistake	誤って，間違って
☑ blame	とがめる，責める，非難する
☑ Good for you.	よかったですね。
☑ **remember**	覚えている，思い出す
☑ waiting room	待合室
☑ lonely	さびしい
☑ spoke	speak(話す)の過去形
☑ listener	聞き手
☑ while	～する間に
☑ action	行動
☑ take action	行動を起こす
☑ mailman	郵便配達員
☑ package	包み
☑ sweaty	汗びっしょりの，汗をかいた
☑ alone	ひとりで
☑ **son**	息子
☑ **daughter**	娘
☑ **glad**	うれしい
☑ be glad to ～	～してうれしい
☑ **taught**	teach(教える)の過去形《過去分詞形も同形》
☑ importance	重要性，大切さ
☑ walk up ～	歩いて～を上る

☑ find out ～	～を知る，～に気づく
☑ many times	何回も
☑ arm	腕
☑ chocolate	チョコレート
☑ **excited**	興奮した
☑ bored	退屈した
☑ **became**	become(～になる)の過去形
☑ **send**	送る

Power-Up ❸

☑ party	一行，一団
☑ ready	準備[用意]ができた
☑ be ready to ～	～する準備[用意]ができている
☑ order	注文する
☑ recommend	勧める
☑ taste	(～な)味がする
☑ else	ほかに[の]
☑ Good afternoon.	こんにちは。
☑ Would you like ～?	～はいかがですか。

PROGRAM 6

Live Life in True Harmony

Scenes 1

□□□ **hármony** [háːrməni ハーモニ]	名 ハーモニー，調和
□□□ **yúmmy** [jʌ́mi ヤミ]	形 (Yummy.で)おいしい。
□□□ **émail** [íːmeil イーメイル]	名 (電子)メール
□□□ **seen** 重要 [siːn スィーン]	動 see(見る)の過去分詞形
□□□ **kítchen** 重要 ✎ tに注意 [kítʃən キチン]	名 台所，キッチン
□□□ **sell** 重要 [sel セル]	動 売る
□□□ **sold** [sould ソウルド]	動 sell(売る)の過去分詞形 《過去形も同形》
□□□ **státionery** [stéiʃəneri ステイショネリ]	名 文房具，事務用品
□□□ **line** [lain ライン]	名 線

Scenes 2

□□□ **built** 重要 ✎ uiに注意 [bilt ビルト]	動 build(建てる)の過去分詞形 《過去形も同形》
□□□ **wrítten** 重要 ✎ ttに注意 [rítn リトン]	動 write(書く)の過去分詞形
□□□ **sung** [sʌŋ サング]	動 sing(歌う)の過去分詞形

教科書p.69 ~ p.71

◇ This song is famous for its beautiful (**harmony**).
この歌はその美しいハーモニーで有名です。

◇ *A:* Do you like it? − *B:* Yes. (**Yummy**).
A: あなたはそれを気に入りましたか。 − *B:* はい。おいしいです。

◆ It is used when you send (**emails**).
それはあなたたちがメールを送るときに使われます。

◆ This is (**seen**) in the kitchen.
これは台所で見られます。

◇ My father is in the (**kitchen**) now.
父は今，台所にいます。

◇ My father will (**sell**) his car.
父は自分の車を売ります。

◆ It's (**sold**) at a stationery store.
それは文房具店で売られています。

◇ I bought an eraser at a (**stationery**) store.
私は文房具店で消しゴムを買いました。

◆ It's used when we draw a (**line**).
それは線を引くときに使われます。

教科書p.70 ~ p.71

◆ It was (**built**) by Ashikaga Yoshimitsu.
それは足利義満によって建てられました。

◇ Was the story (**written**) by Kota?
その物語は浩太によって書かれましたか。

◆ Is it (**sung**) by Ayaka?
それは綾香によって歌われていますか。

□□□	**paint** [peint ペイント]	動 (絵具で絵を)描く

Scenes 3

□□□	**known** [noun ノウン]	動 know(知る)の過去分詞形
□□□	**cover** [kʌ́vər **カ**ヴァ]	動 おおう
□□□	**wood** [wud ウド]	名 木材，(複数形で)森，林
□□□	**T-shirt** [tíːʃəːrt **ティ**ーシャート]	名 Tシャツ
□□□	**soybean** [sɔ́ibiːn **ソ**イビーン]	名 大豆
□□□	**flour** [fláuər フ**ラ**ウア]	名 小麦粉
□□□	**cotton** [kátn **カ**トン]	名 綿(わた，めん)

Think 1

□□□	**commercial** [kəmə́ːrʃəl コ**マ**ーシャル]	名 コマーシャル，広告放送
□□□	**tackle** [tǽkl **タ**クル]	動 取り組む
□□□	**over** [óuvər **オ**ウヴァ] ▶all over the world	前 ～のいたるところで ▶世界じゅうで
□□□	**through** 重要 [θruː スルー]	前 ～を通して

◇ This picture was (painted) by Kaede.
この絵は楓によって描かれました。

教科書p.70 ～ p.71

◆ Shirakawago is (known) to people around the world.
白川郷は世界じゅうの人々に知られています。

◆ All the houses are (covered) with snow.
すべての家々が雪でおおわれています。

◆ It's made of (wood).
それは木材で作られています。

◇ I want that (T-shirt).
私はあのTシャツがほしいです。

◇ I think (soybeans) are healthy.
私は大豆は健康によいと思います。

◇ *Udon* is made from (flour).
うどんは小麦粉からできています。

◇ This T-shirt is made of (cotton).
このTシャツは綿でできています。

教科書p.72

◆ It was used in a TV (commercial).
それはテレビのコマーシャルで使われていました。

◆ He (tackles) difficult problems through his music.
彼は自分の音楽を通して，難しい問題に取り組んでいます。

◆ His songs are sung (all) (over) (the) (world).
彼の歌は世界じゅうで歌われています。

◇ I learned a lot of things (through) the experience.
私はその経験を通して，多くのことを学びました。

6

□□□ **political** [pəlítikəl ポリティカル]	形 政治の
□□□ **issue** [íʃuː イシュー]	名 (議論される重大な)問題
□□□ **message** 重要 [mésidʒ メスィヂ]	名 伝言，伝えたいこと

その他の語句 ・Stévie Wónder [stíːviː wʌ́ndər スティーヴィー　ワンダ]
スティービー・ワンダー(人名)(アメリカのミュージシャン)

Think 2

□□□ **holiday** 重要 [hɑ́lədei ハリデイ]	名 休日
□□□ **Dr.** [dɑ́ktər ダクタ]	名 博士，医師(=doctor)
□□□ **fight** [fait ファイト]	動 たたかう
□□□ **fought** [fɔːt フォート]	動 fight(たたかう)の過去形《過去分詞形も同形》
□□□ **civil rights** [sívəl ráits スィヴィル　ライツ]	名 公民権
□□□ **greatly** [gréitli グレイトリ]	副 大いに，非常に
□□□ **influence** [ínfluəns インフルエンス]	動 影響を及ぼす，感化する
□□□ **celebrate** [séləbreit セレブレイト]	動 祝う，祝福する
□□□ **mutual** [mjúːtʃuəl ミューチュアル]	形 相互の

◆ He's interested in (**political**) issues.
彼は政治問題に興味があります。

◇ We should think about the (**issue**).
私たちはその問題について考えるべきです。

◆ He gives important (**messages**) to us in his songs.
彼は歌を通して重要なメッセージを私たちに与えています。

教科書p.73

◇ There are many national (**holidays**) in Japan.
日本にはたくさんの国民の祝日があります。

◇ (**Dr.**) Tanaka is very kind.
田中医師はとても親切です。

◇ We will (**fight**) till the end.
私たちは最後までたたかいます。

◇ She (**fought**) for her country.
彼女は国のためにたたかいました。

◆ He fought for (**civil**) (**rights**).
彼は公民権を求めてたたかいました。

◇ I was (**greatly**) surprised at the news.
私はそのニュースに非常に驚きました。

◆ Stevie was greatly (**influenced**) by Dr. King.
スティービーはキング牧師に大いに影響を受けました。

◆ Is the holiday (**celebrated**) by all people in the U.S.?
その休日はすべてのアメリカ国民によって祝われていますか。

◆ Dr. King showed us a way of (**mutual**) respect.
キング牧師は私たちにおたがいに尊重し合う方法を教えてくれたのです。

□□□ **respect** [rispékt リスペクト]	名 尊敬，敬意
□□□ **set up ～**	～を創設する，～を設立する

その他の語句 ・Happy Birthday [hǽpi bə́ːrθdei ハピ　バースデイ] ハッピーバースデー(歌のタイトル)

Think 3

□□□ **award** [əwɔ́ːrd アウォード]	名 賞
□□□ **dedicate** [dédikeit デディケイト]	動 ささげる
□□□ **lock** [lɑk ラク]	動 閉じ込める
□□□ **jail** [dʒeil ヂェイル]	名 刑務所
□□□ **president** [prézədənt プレズィデント]	名 大統領
□□□ **million** [míljən ミリョン] ▶millions of ～	名 100万 ▶何百万もの～，非常にたくさんの～

その他の語句 ・I Just Called to Say I Love You 心の愛(歌のタイトル)

Interact

□□□ **castle** (tに注意) [kǽsl キャスル]	名 城

その他の語句 ・Himeji Castle [kǽsl キャスル] 姫路城

◇ I have (respect) for him.
私は彼を尊敬しています。

◇ He (set) (up) a new school.
彼は新しい学校を設立しました。

・Mártin Lúther Kíng, Jr. [mɑ́ːrtən lúːθər kíŋ dʒuːnjər **マー**ティン **ルー**サ **キ**ング ヂューニャ] マーティン・ルーサー・キング，ジュニア(人名)（キング牧師）

教科書p.74

◆ Stevie won an (award) for the song.
スティービーはその歌で賞を獲得しました。

◆ He (dedicated) the award to Nelson Mandela.
彼はその賞をネルソン・マンデラにささげました。

◆ He was (locked) in jail for 27 years.
彼は27年間，刑務所に閉じ込められていました。

◇ The man is in (jail) now.
その男性は今，刑務所にいます。

◆ He became the first black (president) of the country.
彼はその国初の黒人大統領になりました。

◆ His songs are sung by (millions) (of) people around the world.
彼の歌は世界じゅうで何百万もの人々に歌われています。

・Nélson Mandéla [nélsn mændélə **ネ**ルスン マン**デ**ラ] ネルソン・マンデラ(人名)（元南アフリカ共和国大統領）
・South África [sauθ ǽfrikə サウス **ア**フリカ] 南アフリカ共和国

教科書p.76

◆ I think it's one of the most beautiful (castles) in Japan.
私は，それは日本でもっとも美しい城の１つだと思います。

Steps 3

会話をつなげ，深めよう

□ □ □	**scíentist** [sáiəntist **サ**イエンティスト]	名 科学者

Our Project 5

こんな人になりたい

□ □ □	**invéntor** orに注意 [invéntər インヴ**ェ**ンタ]	名 発明家，発明者
□ □ □	**pátent** [pǽtnt **パ**トント]	名 特許
□ □ □	**such** 重要 [sʌtʃ サチ] ▶such as ～	形 そのような ▶たとえば～など
□ □ □	**práctical** [prǽktikəl プ**ラ**クティカル]	形 実用的な
□ □ □	**líght bulb** [láit bʌlb **ラ**イト バルブ]	名 電球
□ □ □	**wórker** [wə́ːrkər **ワ**ーカ]	名 仕事[勉強]をする人，労働者
□ □ □	**slept** [slept スレプト]	動 sleep(眠る)の過去形《過去分詞形も同形》
□ □ □	**éven** 重要 [íːvən **イ**ーヴン]	副 ～でさえ
□ □ □	**kept** [kept ケプト] ▶keep ～ing	動 keep(続ける)の過去形《過去分詞形も同形》 ▶～し続ける

教科書p.78

◆ Is he a (**scientist**)?
彼は科学者ですか。

教科書p.79 ～ p.83

◆ He is known as a great American (**inventor**).
彼は偉大なアメリカの発明家として知られています。

◆ He got over 1,000 (**patents**) in the U.S.
彼はアメリカで1,000以上の特許を獲得しました。

◇ I like animals (**such**) (**as**) dogs and cats.
私はたとえばイヌやネコなどの動物が好きです。

◆ He invented many things such as (**practical**) light bulbs.
彼は実用的な電球など多くのものを発明しました。

◇ (**Light**) (**bulbs**) are very important to us.
電球は私たちにとってとても重要です。

◇ He is a hard (**worker**).
彼はよく働きます。

◆ He (**slept**) only three or four hours a day.
彼は１日に３，４時間しか眠りませんでした。

◇ (**Even**) a child knows that.
子どもでさえそれを知っています。

◆ He (**kept**) (**working**) hard.
彼は一生懸命働き続けました。

□□□ **pósitive** [pázətiv パズィティヴ]	形 前向きな，肯定的な，楽観的な
□□□ **fail** [feil フェイル]	動 失敗する
□□□ **fáilure** [féiljər フェイリャ]	名 失敗
□□□ **chállenge** [tʃǽlindʒ チャリンヂ]	動 挑戦する
□□□ **afráid** 重要 [əfréid アフレイド] ▶be afraid of ～	形 恐れている ▶～を恐れる
□□□ **choose** 重要 [tʃuːz チューズ]	動 選ぶ

その他の語句 ・Thómas Álva Édison [táməs ǽlvə édəsn タマス アルヴァ エディスン] トーマス・アルバ・エジソン(人名)(アメリカの発明家)

対の意味を表す動詞

単語を覚えるとき，対の意味を表す語をまとめると覚えやすくなりますよ。

ask（たずねる）	⇔	answer（答える）
buy（買う）	⇔	sell（売る）
come（来る）	⇔	go（行く）
make（作る）	⇔	break（壊す）
open（開ける，開く）	⇔	close（閉じる，閉める）

◇ He is (positive) about everything.
彼はすべてのことに対して前向きです。

◆ He (failed) many times.
彼は何度も失敗しました。

◆ He didn't think (failure) was bad.
彼は失敗が悪いことだとは考えていませんでした。

◆ He never stopped (challenging) himself.
彼は，自分自身に挑戦することを決してやめませんでした。

◆ We mustn't (be) (afraid) (of) failure.
私たちは失敗を恐れてはいけません。

◇ Why did you (choose) the topic?
なぜあなたはその話題を選んだのですか。

remember（覚えている）	⇔	forget（忘れる）
see（見える）	⇔	hear（聞こえる）
send（送る）	⇔	receive（受け取る）
stand（立つ）	⇔	sit（すわる）
start（始める）	⇔	finish（終える）
take（持っていく）	⇔	bring（持ってくる）
win（勝つ）	⇔	lose（負ける）

テスト直前チェック ⑥

PROGRAM 6

☑ harmony	ハーモニー，調和
☑ yummy	(Yummy. で)おいしい。
☑ email	(電子)メール
☑ **seen**	see(見る)の過去分詞形
☑ **kitchen**	台所，キッチン
☑ **sell**	売る
☑ sold	sell(売る)の過去分詞形《過去形も同形》
☑ stationery	文房具，事務用品
☑ line	線
☑ **built**	build(建てる)の過去分詞形《過去形も同形》
☑ **written**	write(書く)の過去分詞形
☑ sung	sing(歌う)の過去分詞形
☑ paint	(絵具で絵を)描く
☑ known	know(知る)の過去分詞形
☑ cover	おおう
☑ wood	木材，(複数形で)森，林

☑ T-shirt	Tシャツ
☑ soybean	大豆
☑ flour	小麦粉
☑ cotton	綿(わた，めん)
☑ commercial	コマーシャル，広告放送
☑ tackle	取り組む
☑ over	～のいたるところで
☑ all over the world	世界じゅうで
☑ **through**	～を通して
☑ political	政治の
☑ issue	(議論される重大な)問題
☑ **message**	伝言，伝えたいこと
☑ **holiday**	休日
☑ Dr.	博士，医師(=doctor)
☑ fight	たたかう
☑ fought	fight(たたかう)の過去形《過去分詞形も同形》
☑ civil rights	公民権
☑ greatly	大いに，非常に
☑ influence	影響を及ぼす，感化する
☑ celebrate	祝う，祝福する

⧄ mutual	相互の
⧄ respect	尊敬，敬意
⧄ set up ～	～を創設する，～を設立する
⧄ award	賞
⧄ dedicate	ささげる
⧄ lock	閉じ込める
⧄ jail	刑務所
⧄ president	大統領
⧄ million	100 万
⧄ millions of ～	何百万もの～，非常にたくさんの～
⧄ castle	城

Steps 3

⧄ scientist	科学者

Our Project ❺

⧄ inventor	発明家，発明者
⧄ patent	特許
⧄ **such**	そのような
⧄ such as ～	たとえば～など
⧄ practical	実用的な
⧄ light bulb	電球

⧄ worker	仕事[勉強]をする人，労働者
⧄ slept	sleep(眠る)の過去形《過去分詞形も同形》
⧄ **even**	～でさえ
⧄ kept	keep(続ける)の過去形《過去分詞形も同形》
⧄ keep ～ing	～し続ける
⧄ positive	前向きな，肯定的な，楽観的な
⧄ fail	失敗する
⧄ failure	失敗
⧄ challenge	挑戦する
⧄ **afraid**	恐れている
⧄ be afraid of ～	～を恐れる
⧄ **choose**	選ぶ

Reading 2

Friendship beyond Time and Borders

1

□□□	**bórder** [bɔ́ːrdər ボーダ]	名 境界，国境
□□□	**war** 重要 [wɔːr ウォー] ▶at war	名 戦争 ▶戦争中で
□□□	**abóve** oに注意 [əbʌ́v アバヴ]	前 ～の上に[の]，～の上方に
□□□	**nó-fly zóne** [nóuflai zóun ノウフライ　ゾウン]	名 飛行禁止地帯
□□□	**sent** [sent セント]	動 send(送る)の過去形《過去分詞形も同形》
□□□	**land** 重要 [lænd ランド]	動 着陸する
□□□	**shoot down ～**	～を撃ち落す
□□□	**one after another**	次々と

その他の語句 ・Irán [iráːn イラーン] イラン

2

□□□	**áirport** [éərpɔːrt エアポート]	名 空港
□□□	**súddenly** [sʌ́dnli サドンリ]	副 突然，急に
□□□	**run short**	不足する

その他の語句 ・Túrkish [tə́ːrkiʃ ターキシュ] トルコ(人)の

教科書p.84

◇ We are at the (border) now.
私たちは今，国境にいます。

◇ The two countries are (at) (war).
その2か国は戦争中です。

◇ There is a bird (above) the tree.
木の上に鳥がいます。

◆ From March 19, the air above Iran will be a (no-fly) (zone).
3月19日から，イラン上空は飛行禁止地帯になります。

◆ Many countries (sent) planes to rescue their people in Iran.
多くの国がイランにいる自国民を救助するために飛行機を送りました。

◇ The plane (landed) in London.
飛行機はロンドンに着陸しました。

◆ We will (shoot) (down) all planes.
私たちはすべての飛行機を撃ち落すつもりです。

◆ The planes landed (one) (after) (another).
飛行機が次々と着陸しました。

・Iráq [irǽk イ**ラ**ク] イラク

教科書p.84

◆ At the (airport), a lot of Japanese people waited and waited.
空港では，多くの日本人が待機し続けていました。

◆ (Suddenly) two Turkish planes came to rescue them.
突然，2機のトルコの飛行機が彼らを救助するためにやって来ました。

◆ Time was (running) (short).
時間がなくなってきていました。

3

□□□	**goodwill** [gúdwíl グドウィル]	名 親善
□□□	**mission** [míʃən ミション]	名 任務，使命
□□□	**however** [hauévər ハウエヴァ]	副 しかし
□□□	**met** 重要 [met メト]	動 meet(会う)の過去形 《過去分詞形も同形》
□□□	**typhoon** [taifúːn タイフーン]	名 台風
□□□	**coast** [koust コウスト]	名 海岸
□□□	**on the way (back) to ～**	～へ行く(もどる)途中で

その他の語句 ・Turkey [tə́ːrki ターキ] トルコ

4

□□□	**nearby** [niərbái ニアバイ]	形 近くの
□□□	**village** 重要 [vílidʒ ヴィリヂ]	名 村
□□□	**survivor** [sərváivər サヴァイヴァ]	名 生存者
□□□	**understand** 重要 [ʌndərstǽnd アンダスタンド]	動 わかる，理解する
□□□	**bury** (uに注意) [béri ベリ]	動 埋葬する，埋める

教科書p.85

◆ A Turkish ship came to Japan on a (**goodwill**) mission.
あるトルコ船が親善使節として日本にやって来ました。

◇ We have an important (**mission**).
私たちには重要な使命があります。

◇ Ken was tired. (**However**), he kept running.
健は疲れていました。しかし，彼は走り続けました。

◆ The ship (**met**) a strong typhoon.
その船は強い台風に遭いました。

◇ A (**typhoon**) will come to Japan next week.
来週，日本に台風が来ます。

◆ It sank off the (**coast**) of Wakayama.
それは和歌山の海岸沖に沈みました。

◇ I saw Ms. Miller (**on**) (**the**) (**way**) (**to**) school.
私は学校へ行く途中でミラー先生に会いました。

教科書p.85

◆ People in a (**nearby**) fishing village rescued 69 survivors.
近くの漁村に住む人々は69人の生存者を救助しました。

◇ Our (**village**) has an old museum.
私たちの村には古い博物館があります。

◇ Were there any (**survivors**) of the accident?
その事故の生存者はいましたか。

◆ They didn't (**understand**) Turkish.
彼らはトルコ語がわかりませんでした。

◇ My goldfish died, so I (**buried**) it in the yard.
私の金魚が死んだので，私はそれを庭に埋めました。

□□□ **dead** [ded デド] ▶the dead	形 死んでいる ▶死者
□□□ **respectfully** llに注意 [rispéktfəli リス**ペ**クトフリ]	副 うやうやしく

6

□□□ **flew** [fluː フルー]	動 fly(飛ぶ)の過去形
□□□ **former** [fɔ́ːrmər **フォ**ーマ]	形 (時間的に)前の，先の，以前の
□□□ **ambassador** [æmbǽsədər アン**バ**サダ]	名 大使

7

□□□ **between** 重要 [bitwíːn ビト**ウィ**ーン]	前 ～の間に
□□□ **continue** 重要 ueに注意 [kəntínjuː コン**ティ**ニュー]	動 続ける
□□□ **earthquake** [ə́ːrθkweik **ア**ースクウェイク]	名 地震
□□□ **hit** 重要 [hit ヒト]	動 (人・場所に)打撃を与える《過去形，過去分詞形も同形》
□□□ **eastern** [íːstərn **イ**ースタン]	形 東部の，東の
□□□ **each other**	おたがいに[を]

3rd Stage

□□□ **return** 重要 [ritə́ːrn リ**タ**ーン]	動 帰る，もどる

◇ The number of (**the**) (**dead**) was 587.
死者の数は587人でした。

◆ They also buried the dead (**respectfully**).
彼らはまた死者をうやうやしく埋葬しました。

教科書p.86

◆ Turkish planes (**flew**) to rescue the Japanese in Iran.
トルコの飛行機はイランにいる日本人を救助するために飛びました。

◇ My (**former**) house is in Osaka.
私の以前の家は大阪にあります。

◇ Who is the (**ambassador**) to Canada?
カナダの大使はだれですか。

教科書p.86

◆ The friendship (**between**) the two countries still continues today.
２か国間の友情は今日でもまだ続いています。

◇ The war (**continued**) until 1945.
戦争は1945年まで続きました。

◆ A big (**earthquake**) hit Turkey in 1999.
1999年，大地震がトルコを襲いました。

◇ A typhoon (**hit**) some parts of Japan last month.
先月，台風が日本のいくつかの地域に打撃を与えました。

◆ In 2011, a big earthquake and *tsunami* hit (**eastern**) Japan.
2011年，大地震と津波が東日本を襲いました。

◆ We can make a better world by helping (**each**) (**other**).
私たちはおたがいに助け合うことで，よりよい世界を作ることができます。

教科書p.87

◆ The Turkish (**returned**) home on two Japanese ships.
トルコ人は２隻の日本船で自国へもどりました。

Word Web ④ いろいろな前置詞

□□□	**along** [əlɔ́ːŋ ア**ロ**ーング]	前 ～に沿って
□□□	**behind** [biháind ビ**ハ**インド]	前 (場所を表して)～のうしろに

◆前置詞

名詞や代名詞の前に置いて，時や場所などの意味を補う語のことを，前置詞といいます。

(1)　**キャンプ場で**

① in「～の中に[で]」　② over「～を越えて」
③ along「～に沿って」　④ among「～の間で[に]」
⑤ to「～へ」　⑥ across「～を横切って」

(2)　**遊園地で**

① above「～の上方に」　② in front of ～「～の前で[に]」
③ between「～の間で[に]」　④ behind「～のうしろに」

教科書p.88

□□□ **pond** [pand パンド] 名 池

(3) 公園で

① around「～のまわりに」　② into「～の中へ[に]」
③ through「～を通りぬけて」　④ with「～といっしょに」

(4) プールで

① out of ～「～の外へ[に]」　② by「～のそばに」
③ on「～の上に」　④ under「～の下に」

テスト直前チェック R❷

Reading ❷

☑ border	境界，国境
☑ **war**	戦争
☑ at war	戦争中で
☑ above	～の上に[の]，～の上方に
☑ no-fly zone	飛行禁止地帯
☑ sent	send(送る)の過去形《過去分詞形も同形》
☑ **land**	着陸する
☑ shoot down ～	～を撃ち落す
☑ one after another	次々と
☑ airport	空港
☑ suddenly	突然，急に
☑ run short	不足する
☑ goodwill	親善
☑ mission	任務，使命
☑ however	しかし
☑ **met**	meet(会う)の過去形《過去分詞形も同形》
☑ typhoon	台風
☑ coast	海岸
☑ on the way (back) to ～	～へ行く(もどる)途中で
☑ nearby	近くの
☑ **village**	村
☑ survivor	生存者
☑ **understand**	わかる，理解する
☑ bury	埋葬する，埋める
☑ dead	死んでいる
☑ the dead	死者
☑ respectfully	うやうやしく
☑ flew	fly(飛ぶ)の過去形
☑ former	(時間的に)前の，先の，以前の
☑ ambassador	大使
☑ **between**	～の間に
☑ **continue**	続ける
☑ earthquake	地震
☑ **hit**	(人・場所に)打撃を与える《過去形，過去分詞形も同形》
☑ eastern	東部の，東の
☑ each other	おたがいに[を]
☑ **return**	帰る，もどる

Word Web ④

⧄ **in**	～(の中)に[で]
⧄ **over**	越えて
⧄ **after**	～のあとに[で]
⧄ along	～に沿って
⧄ among	～の間で[に]
⧄ **to**	～へ
⧄ **across**	～を横切って
⧄ above	～の上方に
⧄ in front of ～	～の前で[に]
⧄ **between**	～の間に
⧄ behind	～のうしろに
⧄ **around**	～のまわりに
⧄ pond	池
⧄ **into**	～の中へ[に]
⧄ **through**	～を通りぬけて
⧄ **with**	～といっしょに
⧄ **out of ～**	～の外へ[に]
⧄ **by**	～のそばに
⧄ **on**	～の上に
⧄ **under**	～の下に

PROGRAM 7 A Gateway to Japan

Scenes 1

□□□ **gáteway** [géitwei **ゲ**イトウェイ]	名 (出)入口
□□□ **mýstery** [místəri **ミ**スタリ]	名 推理もの，なぞ
□□□ **nóvel** [návəl **ナ**ヴェル]	名 小説
□□□ **alréady** 重要 [ɔːlrédi オール**レ**ディ]	副 すでに
□□□ **énding** 重要 [éndiŋ **エ**ンディング]	名 結末
□□□ **done** 重要 [dʌn ダン]	動 do(する)の過去分詞形
□□□ **éaten** 重要 [íːtn **イ**ートン]	動 eat(食べる)の過去分詞形
□□□ **bowl** [boul ボウル]	名 どんぶり，わん

その他の語句 ・Hárry Pótter [hǽri pátər **ハ**リ　**パ**タ]
ハリー・ポッター(小説のタイトル)

Scenes 2

□□□ **táken** 重要 [téikən **テ**イクン]	動 take(とる)の過去分詞形
□□□ **yet** 重要 [jet イェト]	副 (疑問文で)もう，(否定文で)まだ

教科書p.89 ～ p.91

◇ This is a (**gateway**) to the amusement park.
これは遊園地への入り口です。

◆ Do you know this new (**mystery**) novel?
あなたはこの新しい推理小説を知っていますか。

◇ I like reading (**novels**).
私は小説を読むのが好きです。

◆ I've (**already**) read it.
私はそれをもう読みました。

◇ The (**ending**) was amazing.
結末はすばらしかったです。

◆ I've just (**done**) my homework.
私はちょうど自分の宿題をしたところです。

◆ You've just (**eaten**) three bowls of rice.
あなたはちょうどご飯３杯を食べたところです。

◇ Your rice (**bowl**) is cute.
あなたのご飯茶わんはかわいいですね。

教科書p.90 ～ p.91

◆ Have you (**taken**) a bath yet?
あなたはもうおふろに入りましたか。

◆ Have you done your homework (**yet**)?
あなたはもう宿題をしましたか。

◆ I haven't packed my bags (**yet**)!
私はまだ荷物をまとめていません。

Scenes 3

□□□ **éver** 重要 [évər **エ**ヴァ]	副 これまでに
□□□ **twice** [twais トワイス]	副 2度，2回
□□□ **been** 重要 [bin ビン]	動 beの過去分詞形

その他の語句 ・UFÓ [ju:efóu ユーエフ**オ**ウ] 未確認飛行物体，ユーフォー

Think 1

□□□ **gótten** ttに注意 [gátn **ガ**トン]	動 get(得る)の過去分詞形
□□□ **spórtswriter** [spɔ́:rtsraitər ス**ポ**ーツライタ]	名 スポーツ記者
□□□ **pop** [pɑp パプ]	形 大衆向きの
□□□ **word** 重要 [wə:rd ワード]	名 ことば

Think 2

□□□ **fóreign** gに注意 [fɔ́:rən **フォ**ーリン]	形 外国の
□□□ **accórding** [əkɔ́:rdiŋ ア**コ**ーディング] ▶according to ～	副 (according to ～で)～(の言うところ)によれば ▶～によれば
□□□ **proféssional** [prəféʃənl プロ**フェ**ショヌル]	形 プロの

教科書p.90～p.91

◆ Have you (ever) climbed Mt. Fuji?
あなたはこれまでに富士山に登ったことがありますか。

◆ I've climbed Mt. Fuji (twice).
私は富士山に2回登ったことがあります。

◆ Have you ever (been) to Kochi?
あなたはこれまでに高知に行ったことがありますか。

教科書p.92

◆ I've just (gotten) an email from my uncle in Italy.
私はイタリアにいるおじからメールをちょうどもらったところです。

◆ He's a (sportswriter).
彼はスポーツ記者です。

◆ He loves Japanese (pop) culture like *manga* and *anime*.
彼はマンガやアニメのような日本のポップカルチャーが大好きです。

◆ The (words) *manga* and *anime* are used in English.
マンガやアニメということばは英語で使われています。

教科書p.93

◆ Do people in (foreign) countries know about *Captain Tsubasa*?
外国の人々は『キャプテン翼』について知っていますか。

◇ (According) (to) the weather report, it will rain tomorrow.
天気予報によれば，明日は雨が降るでしょう。

◆ A lot of (professional) soccer players watched it.
たくさんのプロサッカー選手がそれを見ていました。

□□□ **wing** [wiŋ ウィング]	名 翼，羽
□□□ **get home**	帰宅する

その他の語句 ・*Captain* [kǽptən **キャ**プテン] *Tsubasa*
キャプテン翼(マンガのタイトル)

Think 3

□□□ **part** 重要 [pɑːrt パート]	名 部分
□□□ **attract** [ətrǽkt アト**ラ**クト]	動 引きつける，魅了する
□□□ **similar** [símələr **スィ**ミラ]	形 類似した
□□□ **situation** [sitʃuéiʃən スィチュ**エ**イション]	名 情勢，状況
□□□ **heard** 重要 [həːrd ハード] ▶hear of ~	動 hear(聞く)の過去分詞形《過去形も同形》 ▶~のことを耳にする
□□□ **in those days**	当時，そのころ
□□□ **day by day**	日々，日ごとに
□□□ **between ~ and ...**	~と…の間の[に]

その他の語句 ・Europe [júərəp **ユ**アロプ] ヨーロッパ
・Monet [mounéi モウ**ネ**イ]
モネ(人名)(クロード・モネ，印象派を代表するフランスの画家)

◆ *Captain Tsubasa* gave them "(wings)."
『キャプテン翼』は彼らに「翼」を与えたのです。

◆ I'm going to do my homework for the speech after I (get) (home).
私は家に帰ったら，スピーチの宿題をするつもりです。

教科書p.94

◆ *Manga* and *anime* are (parts) of Japanese pop culture.
マンガとアニメは日本のポップカルチャーの一部です。

◆ Today they (attract) many people around the world.
今日，それらは世界じゅうで多くの人々を魅了しています。

◆ There was a (similar) situation about 150 years ago.
約150年前にも同じような状況がありました。

◇ Can you tell me the (situation)?
私に状況を話してもらえますか。

◆ Have you ever (heard) (of) Monet and van Gogh?
あなたは今までにモネやファン・ゴッホのことを聞いたことがありますか。

◆ (In) (those) (days), *ukiyo-e* was pop culture like *manga*.
当時，浮世絵はマンガのようなポップカルチャーでした。

◆ Japanese pop culture is getting more popular (day) (by) (day).
日本のポップカルチャーは日々ますます人気が出てきています。

◆ It is a gateway (between) Japan (and) other countries.
それは日本とほかの国々をつなぐ出入り口です。

・van Gógh [væn góu ヴァン　**ゴ**ウ]
ファン・ゴッホ(人名)(ビンセント・ファン・ゴッホ，オランダの画家)

Interact

list [list リスト]	[名] リスト，一覧表
unúsual [ʌnjúːʒuəl ア**ニュ**ージュアル]	[形] ふつうでない，めずらしい
caught [kɔːt コート]	[動] catch(つかまえる)の過去分詞形《過去形も同形》
Not yet.	まだです。

Steps 4 相手にわかりやすい説明をしよう

páncake [pǽnkeik **パ**ンケイク]	[名] パンケーキ
piece ieに注意 [piːs ピース] ▶a piece of ～	[名] 1つ，1枚 ▶1つ[1枚]の～
sauce auに注意 [sɔːs ソース]	[名] (料理の)ソース
mayonnáise [meiənéiz メイア**ネ**イズ]	[名] マヨネーズ
eco-friéndly [ekoufréndli エコウフ**レ**ンドリ]	[形] 環境に配慮した，環境にやさしい
plástic [plǽstik プ**ラ**スティク]	[形] プラスチック[ビニール]の

教科書p.96

◇ This is the (list) of members of the soccer team.
これはサッカー部のメンバーのリストです。

◆ Have you ever had any (unusual) experiences?
あなたは今までにめずらしい経験をしたことがありますか。

◆ I've (caught) an eel at the river near my house.
私は家の近くの川でウナギを捕まえました。

◆ *A:* Have you done your homework? − *B:* (Not) (yet).
A: あなたは宿題を終えましたか。 − *B:* まだです。

教科書p.97

◆ It looks like a (pancake) ball.
それはパンケーキボールのように見えます。

◆ It has (a) small (piece) (of) octopus in it.
それは中に小さいタコが１つ入っています。

◆ You eat it with (sauce) and mayonnaise.
あなたはそれをソースとマヨネーズといっしょに食べます。

◇ Could you bring me some (mayonnaise)?
私にマヨネーズを持ってきてくださいませんか。

◆ It's more (eco-friendly) than a plastic bag.
それはビニール袋よりも環境にやさしいです。

◇ Take a (plastic) bag with you.
ビニール袋を持っていきなさい。

repéatedly [ripíːtidli リ**ピ**ーティドリ]	副 くり返して
square [skweə*r* スクウェア]	形 正方形の，四角い
cloth [klɔːθ クロース]	名 布，布切れ
wrap Wに注意 [ræp ラプ]	動 包む
páper 重要 [péipə*r* **ペ**イパ]	形 紙の，紙製の
fan [fæn ファン]	名 扇状のもの
breeze [briːz ブリーズ]	名 微風，そよ風
beef [biːf ビーフ]	名 牛肉
súgar [ʃúgə*r* **シュ**ガ]	名 砂糖

◆ People can use it (**repeatedly**).
人々はそれをくり返して使うことができます。

◆ *Furoshiki* is a (**square**) piece of cloth.
風呂敷は１枚の四角い布です。

◇ The box was covered with a red (**cloth**).
その箱は赤い布でおおわれていました。

◆ It's used to (**wrap**) and carry things.
それはものを包んだり，運んだりするのに使われます。

◇ How many (**paper**) cranes have you made?
あなたは何羽の折り鶴を作りましたか。

◇ When it's hot, I often use a paper (**fan**).
暑いとき，私はしばしばうちわを使います。

◇ There's a nice (**breeze**) today.
今日はいい風がありますね。

◇ I want to have some (**beef**) for dinner.
私は夕食に牛肉を食べたいです。

◇ I need some (**sugar**) for my coffee.
私はコーヒーに砂糖が必要です。

Power-Up 4

空港アナウンスを聞こう

□□□ **attention** [əténʃən ア**テ**ンション]	名 注意
□□□ **passenger** [pǽsəndʒər **パ**センジャ]	名 乗客，旅客
□□□ **cancel** [kǽnsəl **キャ**ンセル]	動 取り消す
□□□ **due** [djuː デュー] ▶due to ～	形 (due to ～で)～のせいで ▶～のせいで
□□□ **boarding** [bɔ́ːrdiŋ **ボ**ーディング]	名 搭乗，(boarding gateで)搭乗口
□□□ **gate** [geit ゲイト]	名 門，(搭乗)口
□□□ **announcement** [ənáunsmənt ア**ナ**ウンスメント]	名 (アナウンスでの)知らせ，発表
□□□ **information** [infərméiʃən インフォ**メ**イション]	名 案内係

その他の語句 ・Beijing [beidʒíŋ ベイ**チ**ン] 北京(中国の首都)

教科書p.98

◆ May I have your (**attention**), please?
注目していただけますか。[みな様にお知らせいたします。]

◆ To all (**passengers**) on Sunshine Airlines Flight 274 to New York.
ニューヨーク行きサンシャイン航空274便へご搭乗のみな様へ。

◆ The flight is (**cancelled**) due to bad weather.
その便は悪天候のため，欠航になりました。

◇ We couldn't go anywhere (**due**) (**to**) rain.
雨のせいで私たちはどこにも行けませんでした。

◆ The (**boarding**) (**gate**) is changed from 63 to 73.
搭乗口は63番から73番に変更されています。

◇ Can you see the red (**gate**) in front of the museum?
あなたは博物館の前の赤い門が見えますか。

◇ Was that a (**closing**) announcement?
さっきのは閉店のお知らせでしたか。

◇ If you have questions, visit the (**information**).
もし質問があるなら，案内係を訪ねてください。

テスト直前チェック ⑦

PROGRAM 7	
☑ gateway	(出)入口
☑ mystery	推理もの，なぞ
☑ novel	小説
☑ **already**	すでに
☑ **ending**	結末
☑ **done**	do(する)の過去分詞形
☑ **eaten**	eat(食べる)の過去分詞形
☑ bowl	どんぶり，わん
☑ **taken**	take(とる)の過去分詞形
☑ **yet**	(疑問文で)もう，(否定文で)まだ
☑ **ever**	これまでに
☑ twice	2度，2回
☑ **been**	be の過去分詞形
☑ gotten	get(得る)の過去分詞形
☑ sportswriter	スポーツ記者
☑ pop	大衆向きの
☑ **word**	ことば
☑ foreign	外国の
☑ according	(according to ～で)～(の言うところ)によれば
☑ according to ～	～によれば
☑ professional	プロの
☑ wing	翼，羽
☑ get home	帰宅する
☑ **part**	部分
☑ attract	引きつける，魅了する
☑ similar	類似した
☑ situation	情勢，状況
☑ **heard**	hear(聞く)の過去分詞形《過去形も同形》
☑ hear of ～	～のことを耳にする
☑ in those days	当時，そのころ
☑ day by day	日々，日ごとに
☑ between ～ and ...	～と…の間の[に]
☑ list	リスト，一覧表
☑ unusual	ふつうでない，めずらしい
☑ caught	catch(つかまえる)の過去分詞形《過去形も同形》
☑ Not yet.	まだです。

Steps 4

⧄ pancake	パンケーキ
⧄ piece	1つ，1枚
⧄ a piece of ～	1つ[1枚]の～
⧄ sauce	(料理の)ソース
⧄ mayonnaise	マヨネーズ
⧄ eco-friendly	環境に配慮した，環境にやさしい
⧄ plastic	プラスチック[ビニール]の
⧄ repeatedly	くり返して
⧄ square	正方形の，四角い
⧄ cloth	布，布切れ
⧄ wrap	包む
⧄ **paper**	紙の，紙製の
⧄ fan	扇状のもの
⧄ breeze	微風，そよ風
⧄ beef	牛肉
⧄ sugar	砂糖

Power-Up ❹

⧄ attention	注意
⧄ passenger	乗客，旅客
⧄ cancel	取り消す
⧄ due	(due to ～で)～のせいで
⧄ due to ～	～のせいで
⧄ boarding	搭乗，(boarding gateで)搭乗口
⧄ gate	門，(搭乗)口
⧄ announcement	(アナウンスでの)知らせ，発表
⧄ information	案内係

PROGRAM 8

A Hope for Lasting Peace

Scenes 1

□□□	**lásting** [lǽstiŋ **ラ**スティング]	形 永続的な
□□□	**peace** 重要 [piːs ピース]	名 平和
□□□	**since** 重要 [sins スィンス]	接 ～して以来，～してから
□□□	**belt** [belt ベルト]	名 ベルト，帯

Scenes 2

□□□	**forgót** [fərgát フォ**ガ**ト]	動 forget（忘れる）の過去形《過去分詞形も同形》
□□□	**half** 重要 （lに注意） [hæf ハフ] ▶half an hour	名 半分 ▶30分
□□□	**hang** [hæŋ ハング]	動 ぶら下がる
□□□	**hair** 重要 [heər ヘア]	名 髪
□□□	**key** [kiː キー]	名 かぎ
□□□	**look for ～**	～をさがす

Think 1

□□□	**absolútely** [æbsəlúːtli アブソ**ルー**トリ]	副 （Absolutely. で）まったくそのとおり。

教科書p.99 ～ p.101

◇ Our friendship will be (**lasting**).
私たちの友情は永遠に続くでしょう。

◇ We hope for world (**peace**).
私たちは世界平和を望んでいます。

◆ I've practiced *judo* (**since**) I was ten.
私は10歳から柔道を練習しています。

◆ How long have you been a black (**belt**)?
黒帯をつけてどのくらいになりますか。

教科書p.100 ～ p.101

◆ I think Ami (**forgot**) about our meeting.
亜美は私たちの集まりを忘れてしまったのだと思います。

◆ We've been waiting for (**half**) (**an**) (**hour**).
私たちは30分待っています。

◆ It has been (**hanging**) from a tree since I came here.
それは私がここに来てからずっと木にぶら下がり続けています。

◆ She has been drying her (**hair**).
彼女はずっと髪を乾かしています。

◇ I've left my (**key**) on the table.
私はかぎをテーブルの上に置いてきてしまった。

◇ What are you (**looking**) (**for**)?
あなたは何をさがしているのですか。

教科書p.102

◆ *A:* We've already learned a lot of things. − *B:* (**Absolutely**).
A: 私たちはすでに多くのことを学びました。 − *B:* まったくそのとおりです。

□□□ **move** [muːv ムーヴ]	動 感動させる
□□□ **souvenir** [suːvəníə*r* スーヴェ**ニ**ア]	名 みやげ
□□□ **soap** [soup ソウプ] oaに注意	名 せっけん
□□□ **clay** [klei クレイ]	名 粘土
□□□ **recycled** [riːsáikld リー**サ**イクルド]	形 再生された，再生(の)
□□□ **neither** [níːðə*r* **ニー**ザ]	副 ～もまた…ない
□□□ **Take a look.**	見てください。

その他の語句 ・the Hiroshima Peace Memorial Park
[ðə píːs məmɔ́riəl pɑːrk ザ **ピー**ス メ**モー**リアル パーク] 広島平和記念公園

Think 2

□□□ **monument** [mánjumənt **マ**ニュメント]	名 記念碑
□□□ **victim** [víktim **ヴィ**クティム]	名 犠牲者
□□□ **atomic** [ətámik ア**タ**ミク]	形 原子(力)の
□□□ **bomb** [bɑm バム]	名 爆弾
□□□ **pass** 重要 [pæs パス] ▶pass away	動 (人が)死ぬ，他界する ▶亡くなる

◆ I was（**moved**）by the Hiroshima Peace Memorial Park.
私は広島平和記念公園に感動しました。

◆ I bought a（**souvenir**）.
私はおみやげを買いました。

◆ It looks like（**soap**）.
それはせっけんのように見えます。

◆ It's paper（**clay**）.
それは紙粘土です。

◆（**Recycled**）paper cranes are used in this clay.
再生された折り鶴がこの粘土に使われます。

◆ *A:* I've never heard of that. — *B:* Me（**neither**）.
A: 私はそれを聞いたことがありません。 — *B:* 私もありません。

◆（**Take**）（**a**）（**look**）.
見てください。

教科書p.103

◆ In the Hiroshima Peace Memorial Park, there is a（**monument**）.
広島平和記念公園には，記念碑があります。

◇ She is a（**victim**）of the war.
彼女は戦争の犠牲者です。

◆ They were victims of the（**atomic**）bomb.
彼らは原子爆弾の犠牲者でした。

◇ An atomic（**bomb**）was dropped on Hiroshima.
原子爆弾が広島に落とされました。

◆ She（**passed**）（**away**）the next year.
彼女は翌年亡くなりました。

□□□	**get well**	(体調が)よくなる

Think 3

□□□	**receive** 重要 [risíːv リ**ス**ィーヴ]	動 受けとる
□□□	**burn** [bəːrn バーン]	動 燃やす，焼く
□□□	**cost** [kɔːst コースト]	動 (費用・金額が)かかる
□□□	**environment** [inváiərənmənt イン**ヴァ**イアロンメント]	名 環境
□□□	**recycle** 重要 [riːsáikl リー**サ**イクル]	動 再生利用する
□□□	**fold** [fould フォウルド]	動 折る
□□□	**renew** [rinjúː リ**ニュ**ー]	動 再び新しくする
□□□	**every year**	毎年
□□□	**for a long time**	長い間

Interact

□□□	**specialty** [spéʃəlti ス**ペ**シャルティ]	名 特技，得意なこと

◆ She believed she would (get) (well).
彼女は体調がよくなると信じていました。

教科書p.104

◆ The monument (receives) about 10 million paper cranes.
その記念碑はおよそ一千万羽の折り鶴を受け取っています。

◆ Every year those cranes are (burned).
それらの折り鶴は毎年燃やされます。

◆ It (costs) too much.
それはあまりに高い費用がかかります。

◆ It's not good for the (environment).
それは環境によくありません。

◇ We should (recycle) more paper.
私たちはより多くの紙を再生利用すべきです。

◆ People (fold) the recycled paper into cranes again.
人々がその再生紙で再び鶴を折ります。

◆ They are (renewing) the hope for lasting peace.
彼らは永遠の平和への願いを新たにしています。

◇ I go to Tokyo to see my uncle (every) (year).
私はおじに会うために毎年東京へ行きます。

◇ My aunt stayed at a hotel (for) (a) (long) (time).
私のおばは長い間，ホテルに滞在していました。

教科書p.106

◆ What's your (specialty)?
あなたの特技は何ですか。

Steps 5

説得力のある主張をしよう

□□□ **sweat** [swet スウェト]	動 汗をかく
□□□ **agrée** 重要 [əgríː アグリー]	動 同意する
□□□ **less** [les レス]	形 little(少ない)の比較級

現在完了でよく使われる語句

現在完了にはいくつかの用法がありますが，それぞれの用法にはよく使われる語句があります。

① 「完了」用法でよく使われる語

・already「すでに」　・just「ちょうど」
・yet「(疑問文で)もう，(否定文で)まだ」

Ken has already finished his homework.
(健はすでに宿題を終えました。)

② 「経験」用法でよく使われる語句

・ever「これまでに」　・never「一度も～ない」
・before「以前に」
・回数を表す語句
once「1回」，twice「2回」，～ times「(3回以上)～回」

Have you ever been to Australia?
(あなたはこれまでにオーストラリアへ行ったことがありますか。)

教科書p.110 ～ p.111

◆ It's cold in winter, so we don't (**sweat**) too much.
冬は寒いので，私たちはそれほど汗をかきません。

◆ I don't (**agree**).
私は賛成しません。

◆ We have (**less**) homework during winter vacation.
私たちは冬休みの間は宿題が少ししかありません。

③ 「継続」用法でよく使われる語

・for「～の間」　・since「～以来」

◆現在完了の文では，過去の時点を表す語句は使えない！

yesterday「昨日」，～ ago「～前」，when「いつ」があるときは，過去形を使います。

・My brother ~~has been~~ sick yesterday.

↓

My brother was sick yesterday.

・My brother ~~has been~~ sick ten years ago.

↓

My brother was sick ten years ago.

・When ~~has~~ Rikako ~~stayed~~ in Osaka?

↓

When did Rikako stay in Osaka?

Power-Up 5

メールで近況報告をしよう

□□□ **scúlpture** [skʌ́lptʃər スカルプチャ] 名 彫像

□□□ **thick** [θik スィク] 形 (液体などが)濃い，濃厚な

英語のメールやSNSで使う略語

英語ではメールやSNSなどで，ことばを略して表すことがあります。文の最初が小文字になることもあります。

略語	元の語句	意味
4	for	～のために
btw	by the way	ところで
cya	see you	またね
n	and	～と
IC	I see.	なるほど。
pic	picture	絵，写真
pls	please	どうぞ，どうか
ppl	people	人々
thx	Thanks.	ありがとう。
U	you	あなた
w/	with	～といっしょに

this is 4 U. → This is for you. (これはあなたのためです。)

教科書p.112

◆ We saw many snow (**sculptures**) there.
私たちはそこでたくさんの雪の彫像を見ました。

◆ The soup was (**thick**).
そのスープは濃厚でした。

◆メールを読んでみよう！

To: Emily From: Nana Sub: thx for yesterday Dear Emily, I really had a great time w/ you yesterday. The party was great. Pls send pics to me later. Nana	宛先：エミリー 差出人：奈々 件名：昨日はありがとう エミリーへ 昨日はあなたといっしょにすばらしい時を過ごしたわ。パーティーはすばらしかった。 あとで私に写真を送ってね。 奈々

Our Project

6 この1年で得た「宝もの」

□□□	**chórus** ch に注意 [kɔ́ːrəs コーラス]	名 合唱
□□□	**cóntest** [kántest カンテスト]	名 コンクール，競技会
□□□	**prize** [praiz プライズ]	名 賞
□□□	**nérvous** ou に注意 [nə́ːrvəs ナーヴァス]	形 不安で
□□□	**felt** [felt フェルト]	動 feel（感じる）の過去形《過去分詞形も同形》
□□□	**though** [ðou ゾウ]	接（～である）けれども，～にもかかわらず
□□□	**at first**	はじめは
□□□	**besídes** [bisáidz ビサイヅ]	副 そのうえ，さらに
□□□	**fact** [fækt ファクト] ▶in fact	名 事実 ▶実際は
□□□	**touch** [tʌtʃ タチ]	動 感動させる

教科書p.113 ～ p.117

◆ The (chorus) contest was my best memory.
合唱コンクールは私のもっともよい思い出でした。

◇ We had a speech (contest) yesterday.
私たちは昨日，スピーチコンテストがありました。

◆ I wanted to win first (prize).
私は１等賞を取りたかったです。

◆ I was very (nervous).
私はとても不安でした。

◆ I (felt) our hearts became one.
私は私たちの心が１つになるのを感じました。

◇ (Though) I was sleepy, I finished my homework.
眠かったにもかかわらず，私は宿題を終えました。

◇ (At) (first), my brother wasn't good at playing the guitar.
私の兄は，はじめはギターをひくのが得意ではありませんでした。

◇ I missed the bus. (Besides) it started to rain.
私はバスに乗り遅れました。そのうえ，雨が降り始めました。

◇ (In) (fact), I didn't know about it.
実際は，私はそれについて知りませんでした。

◆ I was (touched) by your speech.
私はあなたのスピーチに感動しました。

Word Web 5 町の風景

◆建物・施設

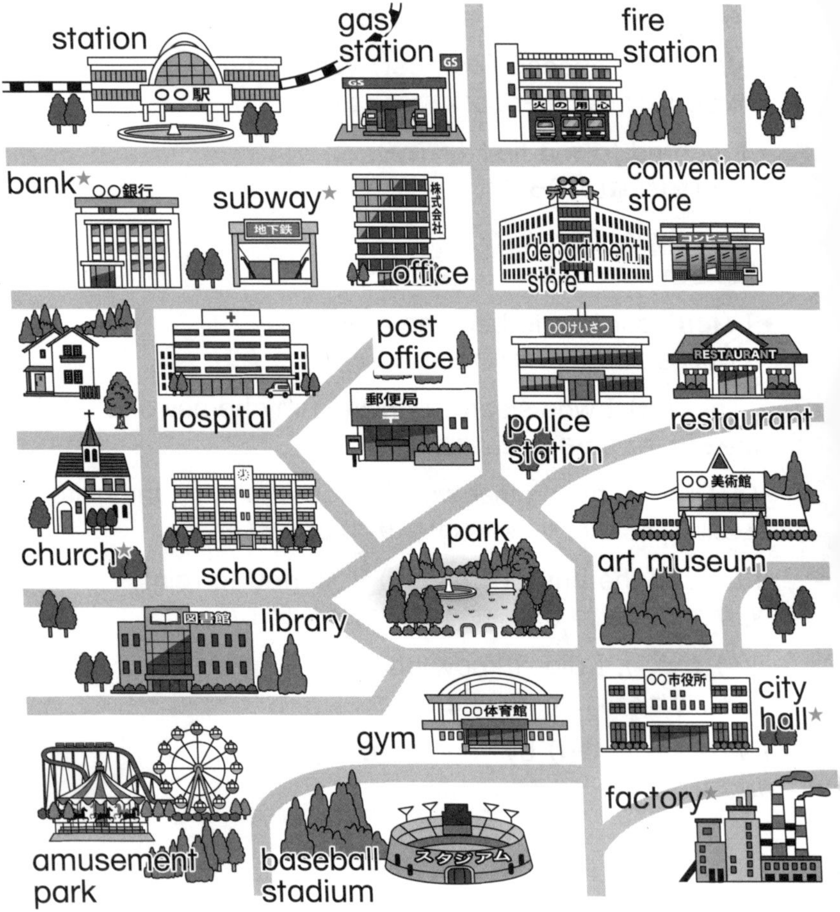

教科書p.118 ~ p.119

◆乗り物

◆その他

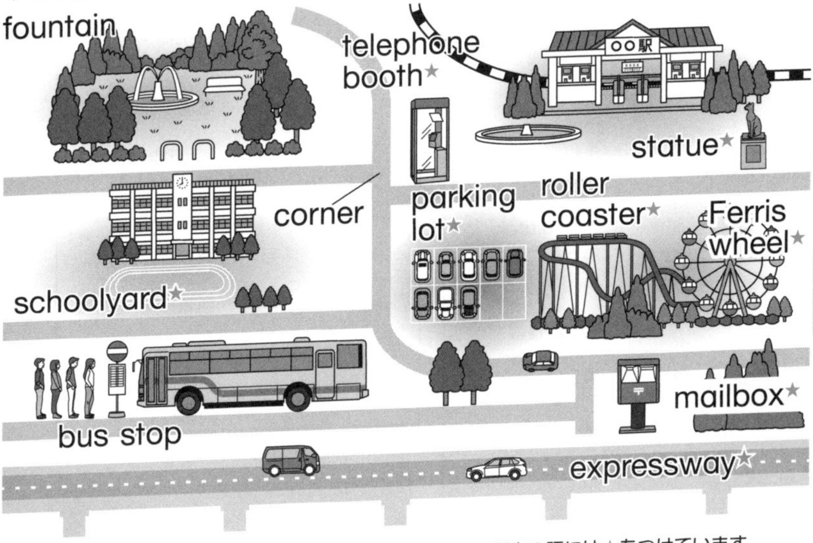

※新出の語には★をつけています。

テスト直前チェック⑧

PROGRAM 8	
⧄ lasting	永続的な
⧄ **peace**	平和
⧄ **since**	～して以来，～してから
⧄ belt	ベルト，帯
⧄ forgot	forget(忘れる)の過去形《過去分詞形も同形》
⧄ **half**	半分
⧄ half an hour	30分
⧄ hang	ぶら下がる
⧄ **hair**	髪
⧄ key	かぎ
⧄ look for ～	～をさがす
⧄ absolutely	(Absolutely. で)まったくそのとおり。
⧄ move	感動させる
⧄ souvenir	みやげ
⧄ soap	せっけん
⧄ clay	粘土
⧄ recycled	再生された，再生(の)
⧄ neither	～もまた…ない
⧄ Take a look.	見てください。
⧄ monument	記念碑
⧄ victim	犠牲者
⧄ atomic	原子(力)の
⧄ bomb	爆弾
⧄ **pass**	(人が)死ぬ，他界する
⧄ pass away	亡くなる
⧄ get well	(体調が)よくなる
⧄ **receive**	受けとる
⧄ burn	燃やす，焼く
⧄ cost	(費用・金額が)かかる
⧄ environment	環境
⧄ **recycle**	再生利用する
⧄ fold	折る
⧄ renew	再び新しくする
⧄ every year	毎年
⧄ for a long time	長い間
⧄ specialty	特技，得意なこと

Steps 5	
⧄ sweat	汗をかく
⧄ **agree**	同意する

⧄ less	little(少ない)の比較級

Power-Up ❺

⧄ sculpture	彫像
⧄ thick	(液体などが)濃い，濃厚な

Our Project ❻

⧄ chorus	合唱
⧄ contest	コンクール，競技会
⧄ prize	賞
⧄ nervous	不安で
⧄ felt	feel(感じる)の過去形《過去分詞形も同形》
⧄ though	(～である)けれども，～にもかかわらず
⧄ at first	はじめは
⧄ besides	そのうえ，さらに
⧄ fact	事実
⧄ in fact	実際は
⧄ touch	感動させる

Word Web ❺

⧄ **amusement park**	遊園地
⧄ **art museum**	美術館
⧄ bank	銀行
⧄ **baseball stadium**	野球場
⧄ church	教会
⧄ city hall	市役所
⧄ **convenience store**	コンビニエンスストア
⧄ **department store**	デパート
⧄ factory	工場
⧄ **fire station**	消防署
⧄ **gas station**	ガソリンスタンド
⧄ **gym**	体育館
⧄ **hospital**	病院
⧄ **library**	図書館
⧄ **office**	会社
⧄ **park**	公園
⧄ **post office**	郵便局
⧄ **police station**	警察署
⧄ **restaurant**	レストラン

⧄ **school**	学校
⧄ **station**	駅
⧄ subway	地下鉄
⧄ ambulance	救急車
⧄ fire engine	消防車
⧄ taxi	タクシー
⧄ truck	トラック
⧄ **bus stop**	バス停
⧄ expressway	高速道路
⧄ Ferris wheel	観覧車
⧄ fountain	噴水
⧄ mailbox	郵便ポスト
⧄ parking lot	駐車場
⧄ roller coaster	ジェットコースター
⧄ schoolyard	校庭
⧄ statue	像
⧄ telephone booth	電話ボックス
⧄ corner	角

getのいろいろな意味

(1) 手に入れる

I got new shoes.（私は新しいくつを手に入れました。）

(2) 理解する

I got it.（わかりました。）

(3) (状態)になる

My sister got sick last weekend.

（私の姉は先週末に病気になりました。）

◆ **get** を用いたいろいろな表現

表現	意味
get up	起きる
get home	帰宅する
get off	(乗り物を)降りる
get on	(乗り物に)乗る
get ～ place	(競争などで)～位になる
get to ～	～に着く，到着する
get well	(体調が)よくなる

Reading 3

Visas of Hope

1

□□□ **visa** [víːzə ヴィーザ]	名 ビザ，査証
□□□ **ask** 重要 [æsk アスク] ▶ask for ~	動 求める ▶~を求める
□□□ **transit** [trǽnsit トランスィト]	名 通過，通行

その他の語句 ・Lithuania [liθuéiniə リスエイニア] リトアニア
・Jewish [dʒúːiʃ チューイシュ] ユダヤ人の

2

□□□ **telegram** [téligræm テリグラム]	名 電報
□□□ **government** nに注意 [gʌ́vərnmənt ガヴァンメント]	名 政府
□□□ **permission** [pərmíʃən パミション]	名 許可
□□□ **arrive** 重要 [əráiv アライヴ]	動 到着する
□□□ **anyone** 重要 [éniwʌn エニワン]	代 (否定文で)だれも~ない
□□□ **satisfy** [sǽtisfai サティスファイ]	動 満たす，充足させる
□□□ **condition** [kəndíʃən コンディション]	名 条件

教科書p.121

◆ They were asking for transit (visas) through Japan.
彼らは日本を通過する通行ビザを求めていました。

◇ They are (asking) (for) our help.
彼らは私たちの助けを求めています。

◇ We will make a (transit) through China.
私たちは中国を通過する予定です。

・the Nâzis [ðə ná:tsiz ザ ナーツィズ]
ナチ党（1920-1945年までヒトラーが率いたドイツの極右政党）

教科書p.121

◆ Chiune sent a (telegram) to the Japanese government.
千畝は日本政府に電報を送りました。

◇ The Japanese (government) didn't like his idea.
日本政府は彼の考えを好みませんでした。

◆ He asked (permission) to write visas.
彼はビザを書くために許可を求めました。

◆ Soon a telegram (arrived).
まもなく電報が届きました。

◆ Don't write visas for (anyone).
だれにもビザを書いてはいけません。

◆ They don't (satisfy) our conditions.
彼らは私たちの条件を満たしていません。

◇ There is one (condition).
１つ条件があります。

3

□□□	**obéy** [oubéi オウベイ]	動 従う
□□□	**órder** [ɔ́ːrdər オーダ]	名 命令
□□□	**mind** [maind マインド] ▶make up his mind	名 心，気持ち ▶決心する
□□□	**spite** [spait スパイト] ▶in spite of ～	名 (in spite of ～で)～にもかかわらず ▶～にもかかわらず

4

□□□	**límit** [límit リミト]	動 限る，制限する
□□□	**wrote** 重要 [rout ロウト]	動 write(書く)の過去形
□□□	**líttle** [lítl リトル]	副 ほとんどない，ほんの少し
□□□	**sore** [sɔːr ソー]	形 痛い
□□□	**cry** [krai クライ] ▶cry out	動 叫ぶ，大声をあげる ▶叫ぶ
□□□	**more** [mɔːr モー] ▶not ～ any more ...	形 もっと多くの ▶これ以上の…を～ない
□□□	**trúly** [trúːli トルーリ]	副 ほんとうに
□□□	**hand out ～**	～を手渡す

その他の語句 ・Berlín [bəːrlín バーリン] ベルリン(ドイツの首都)

教科書p.121

◆ Chiune had to (obey) the order.
千畝はその命令に従わなければなりませんでした。

◇ It was the (order) from the government.
それは政府からの命令でした。

◆ He (made) (up) (his) (mind).
彼は決心しました。

◆ (In) (spite) (of) all the trouble, I'll write the visas!
どんな困難があろうとも，私はビザを書きましょう。

教科書p.122

◆ Time was (limited).
時間は限られていました。

◆ Chiune (wrote) visas day and night.
千畝は日夜，ビザを書きました。

◆ He ate very (little).
彼はほとんど食事をとりませんでした。

◆ His arm became (sore).
彼の腕は痛くなりました。

◆ He (cried) (out), “I'm really sorry.”
彼は「ほんとうにすみません。」と叫びました。

◆ I (cannot) write (any) (more) visas.
私はもうこれ以上ビザを書けません。

◆ I (truly) hope everyone will be safe.
みなさんのご無事をほんとうに願っています。

◆ He (handed) (out) the last visa from the train window.
彼は列車の窓から最後のビザを手渡しました。

5

□□□	**quit** [kwit クウィト]	動 (仕事などを)やめる
□□□	call [kɔːl コール]	名 (電話などによる)呼び出し
□□□	end [end エンド]	動 終わる
□□□	**tear** [tiər ティア] ▶in tears	名 涙 ▶涙を流して，泣いて

その他の語句 ・thé Isráeli Émbassy [ðí izréili émbəsi ズィ イズ**レ**イリ **エ**ンバスィ] イスラエル大使館

6

□□□	**introdúce** [intrədjúːs イントロ**デュ**ース] ▶introduce himself	動 紹介する ▶自己紹介をする
□□□	**pronóunce** [prənáuns プロ**ナ**ウンス]	動 発音する

7

□□□	**lives** 重要 [laivz ライヴズ]	名 life(命)の複数形
□□□	**agáinst** 重要 [əgénst ア**ゲ**ンスト] ▶go against ～	前 ～に反対して ▶～に逆らう
□□□	**ínner** [ínər **イ**ナ]	形 内なる，心の
□□□	**thousands of ～**	何千もの～，数千もの～

3rd Stage

□□□	find [faind ファインド]	動 わかる，気づく

教科書p.123

◆ He had to (quit) his job.
彼は仕事をやめなければなりませんでした。

◆ Chiune received a phone (call) from the Israeli Embassy.
千畝はイスラエル大使館から電話をもらいました。

◆ We've been looking for you since the war (ended).
戦争が終わってから私たちはずっとあなたをさがし続けていました。

◆ The man said (in) (tears).
その男性は涙を流して言いました。

教科書p.123

◆ Chiune (introduced) (himself) as "Sempo."
千畝は「せんぽ」と自己紹介していました。

◆ It was easier to (pronounce).
そのほうが発音しやすかったのです。

教科書p.123

◆ Chiune saved thousands of Jewish (lives).
千畝は何千人ものユダヤ人の命を救いました。

◆ Why did he (go) (against) the Japanese government?
なぜ彼は日本政府に逆らったのでしょう。

◆ I just followed my (inner) voice.
私はただ，自分の心の声に従っただけです。

◇ (Thousands) (of) people were there.
何千もの人々がそこにいました。

教科書p.124

◆ Chiune (found) there were many Jewish people.
千畝はたくさんのユダヤ人がいるのに気づきました。

テスト直前チェック R❸

Reading ❸

⧄ visa	ビザ，査証
⧄ **ask**	求める
⧄ ask for ～	～を求める
⧄ transit	通過，通行
⧄ telegram	電報
⧄ government	政府
⧄ permission	許可
⧄ **arrive**	到着する
⧄ **anyone**	（否定文で）だれも～ない
⧄ satisfy	満たす，充足させる
⧄ condition	条件
⧄ obey	従う
⧄ order	命令
⧄ mind	心，気持ち
⧄ make up his mind	決心する
⧄ spite	（in spite of ～で）～にもかかわらず
⧄ in spite of ～	～にもかかわらず
⧄ limit	限る，制限する
⧄ **wrote**	write（書く）の過去形
⧄ little	ほとんどない，ほんの少し
⧄ sore	痛い
⧄ cry	叫ぶ，大声をあげる
⧄ cry out	叫ぶ
⧄ more	もっと多くの
⧄ not ～ any more ...	これ以上の…を～ない
⧄ truly	ほんとうに
⧄ hand out ～	～を手渡す
⧄ quit	（仕事などを）やめる
⧄ call	（電話などによる）呼び出し
⧄ end	終わる
⧄ tear	涙
⧄ in tears	涙を流して，泣いて
⧄ introduce	紹介する
⧄ introduce himself	自己紹介をする
⧄ pronounce	発音する
⧄ **lives**	life（命）の複数形
⧄ **against**	～に反対して
⧄ go against ～	～に逆らう
⧄ inner	内なる，心の

☑ thousands of ～	何千もの～，数千もの～
☑ find	わかる，気づく

〈主語＋動詞＋人＋もの〉の文

「〈人〉に〈もの〉を～する」と言うときは，動詞のあとに〈人＋もの〉を続けて表します。

Bob showed me some pictures.（ボブは私に何枚かの写真を見せました。）
showed：動詞　me：人　some pictures：もの

〈人＋もの〉をあとに続ける動詞

- buy「(人にもの)を買う」
- get「(人にもの)をあげる」
- make「(人にもの)を作る」
- show「(人にもの)を見せる」
- teach「(人にもの)を教える」
- cook「(人にもの)を料理する」
- give「(人にもの)をあげる」
- send「(人にもの)を送る」
- tell「(人にもの)を言う，話す」

・〈人＋もの〉をあとに続ける動詞を，同じ意味で書きかえる

動詞によって，to か for を使って，〈もの＋ to ＋人〉または〈もの＋ for ＋人〉の語順で表します。

① **to を使う動詞**：give，show，teach，tell など
Mr. Brown gave me a book.
＝ Mr. Brown gave a book to me.
（ブラウンさんは私に１冊の本をくれました。）

② **for を使う動詞**：buy，cook，get，make など
Nancy cooked us dinner.
＝ Nancy cooked dinner for us.
（ナンシーは私たちに夕食を作ってくれました。）

2年生までに習った不規則動詞

2年生までに習った不規則動詞です。不規則動詞にはよく使われる動詞が多いので，しっかり覚えましょう。

原形	過去形	過去分詞形	意味
hit	hit	hit	(人・場所に)打撃を与える
read	read	read	読む
bring	brought	brought	持ってくる
buy	bought	bought	買う
catch	caught	caught	つかまえる
feel	felt	felt	感じる
fight	fought	fought	たたかう
find	found	found	見つける
forget	forgot	forgot / forgotten	忘れる
hear	heard	heard	聞く
hold	held	held	持つ，つかむ
keep	kept	kept	続ける
make	made	made	作る
meet	met	met	会う
send	sent	sent	送る
sell	sold	sold	売る
sleep	slept	slept	眠る
stand	stood	stood	立つ
teach	taught	taught	教える

原形	過去形	過去分詞形	意味
think	thought	thought	考える
understand	understood	understood	理解する
win	won	won	勝つ
be	was / were	been	～である
become	became	become	～になる
break	broke	broken	壊れる
do	did	done	する
eat	ate	eaten	食べる
fall	fell	fallen	落ちる
fly	flew	flown	飛ぶ
give	gave	given	与える
go	went	gone	行く
know	knew	known	知る
see	saw	seen	見る
show	showed	shown / showed	示す，見せる
sing	sang	sung	歌う
sink	sank	sunk	沈む
speak	spoke	spoken	話す
steal	stole	stolen	盗む
write	wrote	written	書く

比較級・最上級の作り方

① ふつうの語:比較級は-er, 最上級は-estをつける

old	older	oldest
tall	taller	tallest

② -eで終わる語:比較級は-r, 最上級は-stをつける

large	larger	largest
nice	nicer	nicest

③ ＜子音字＋y＞で終わる語:yをiに変えて-erまたは-estをつける

happy	happier	happiest
early	earlier	earliest

④ ＜子音字＋アクセントのある母音字＋子音字＞で終わる語:最後の子音字を重ねて, -erまたは-estをつける

big	bigger	biggest
hot	hotter	hottest

⑤ 2音節の語の大部分と3音節以上の語:比較級はmore, 最上級はmostをつける

famous	more famous	most famous
beautiful	more beautiful	most beautiful

⑥ 不規則変化をする語:一部の形容詞と副詞は①～⑤のルールに当てはまらず, 不規則変化をする

good / well	better	best
many / much	more	most
bad	worse	worst
little	less	least

短縮形のまとめ

短縮形は会話の中でよく使われます。短縮形と元の形の発音に注意しながら発音してみましょう。

●willの短縮形

I	I will	→	I'll
you	you will	→	you'll
he	he will	→	he'll
she	she will	→	she'll
it	it will	→	it'll
we	we will	→	we'll
they	they will	→	they'll

●haveの短縮形

I	I have	→	I've
you	you have	→	you've
we	we have	→	we've
they	they have	→	they've

●否定形の短縮形（主に2年生で学習するもの）

will	will not	→	won't
could	could not	→	couldn't
would	would not	→	wouldn't
should	should not	→	shouldn't
must	must not	→	mustn't
have	have not	→	haven't
has	has not	→	hasn't

いろいろな＜動詞＋前置詞＞

動詞の中には前置詞といっしょに使われるものがあります。2年生までに学習したものをまとめました。まとめて覚えましょう。

＜動詞＋前置詞＞	意味
ask for ～	～を求める
cut down ～	～を切り倒す
go against ～	～に逆らう
hear of ～	～のことを耳にする
hold on to ～	～にしがみつく
listen to ～	～を聞く，～に耳を傾ける
look at ～	～(のほう)を見る
look for ～	～をさがす
look like ～	～のように見える
set up ～	～を創設する，～を設立する
shoot down ～	～を撃ち落す
show ～ around	～(人)を案内して回る
stick to ～	～にくっつく
turn off ～	(テレビなどを)消す，止める
walk up ～	歩いて～を上る

I like to listen to music.
(私は音楽を聞くことが好きです。)

That man looks like an actor.
(あの男性は俳優のように見えます。)

Turn off the TV, and go to bed early.
(テレビを消して早く寝なさい。)

いろいろな＜be 動詞＋形容詞＋前置詞＞

形容詞の中には決まった前置詞と結びつき，＜ be 動詞＋形容詞＋前置詞＞の形で使われるものがあります。2 年生までに学習したものをまとめました。まとめて覚えましょう。

＜be動詞＋形容詞＋前置詞＞	意味
be afraid of ～	～を恐れる
be famous for ～	～で有名である
be good at ～	～が得意である
be interested in ～	～に興味がある
be late for ～	～に遅れる
be proud of ～	～を誇りに思う
be sorry for ～	～をすまないと思う

My sister is afraid of that dog.
（私の妹はあのイヌを恐れています。）

Our city is famous for its vegetables.
（私たちの市は野菜で有名です。）

I am good at playing the drums.
（私はドラムを演奏するのが得意です。）

Are you interested in science?
（あなた[たち]は理科に興味がありますか。）

Don’t be late for the party tomorrow.
（明日のパーティーに遅れないでください。）

We are very proud of our mother.
（私たちは私たちの母を誇りに思います。）

I am sorry for my mistake.
（間違えてすみません。）

いろいろな＜動詞＋副詞＞

動詞の中には副詞を続けていっしょに使われるものがあります。副詞がもとの動詞に意味をつけ加えています。2年生までに学習したものをまとめました。まとめて覚えましょう。

＜動詞＋副詞＞	意味
come back	もどる
come home	家に帰る
cry out	叫ぶ
fall down	倒れる
find out 〜	〜を知る，〜に気づく
get home	帰宅する
get on 〜	〜に乗る
get up	起きる
get well	(体調が)よくなる
hand out 〜	〜を手渡す
hold on	(電話で)お待ちください。
pick up 〜	〜を拾い上げる，手に取る
switch on 〜	〜のスイッチを入れる
take off 〜	〜をぬぐ

毎日の生活〈my daily life〉

get up
起きる

wash my face
顔を洗う

put on my uniform
制服を着る

eat breakfast
朝食を食べる

leave for school
学校に出かける

get to school
学校に着く

eat lunch
昼食を食べる

clean our classroom
教室を掃除する

get home
帰宅する

eat dinner
夕食を食べる

do my homework
宿題をする

take a bath [shower]
ふろに入る／シャワーを浴びる

go to bed
寝る

台所〈kitchen〉

pot 深なべ
cabinet 食器だな
kitchen fan 換気扇
frying pan フライパン
dish towel ふきん
stove こんろ
rice cooker 炊飯器
scale はかり
kettle やかん
refrigerator 冷蔵庫
knife 包丁
chopping board まな板
sink 流し
oven オーブン
dishwasher 皿洗い機
freezer 冷凍庫
toaster トースター
microwave 電子レンジ
tray 盆《ぼん》

気持ち〈feelings〉

angry
怒った

bored
退屈した

excited
興奮した

happy
幸福な，うれしい

sad
悲しい

scared
こわがった

surprised
驚いて

tired
疲れた

worried
心配な

nervous
あがっている，不安で

hungry
空腹の

sleepy
眠い

さくいん

復習のときや辞書代わりに使ってください。
太字は特に重要な単語を示します。

A

☑ *a little bit* 少し ……8
☑ *a lot* たくさん ……20
☑ *a piece of ～* 1つ[1枚]の～ ……112
☑ **able** 形 ～ができる ……62
☑ above 前 ～の上に[の]，～の上方に ……96，102
☑ absolutely 副 (Absolutely. で)まったくそのとおり。 ……120
☑ according 副 (according to ～で)～(の言うところ)によれば ……108
☑ *according to ～* ～によれば ……108
☑ **across** 前 ～を横切って ……102
☑ action 名 行動 ……74
☑ actor 名 役者 ……36
☑ **afraid** 形 恐れている ……92
☑ **after** 前 ～のあとで[に] ……102
☑ **against** 前 ～に反対して ……142
☑ **agree** 動 同意する ……126
☑ agriculture 名 農業 ……62
☑ airport 名 空港 ……96
☑ *all over the world* 世界じゅうで ……84
☑ **almost** 副 もう少しで，すんでのことで～するところ ……10
☑ alone 副 ひとりで ……74
☑ along 前 ～に沿って ……102
☑ **already** 副 すでに ……106
☑ ambassador 名 大使 ……100
☑ ambulance 名 救急車 ……133
☑ **among** 前 ～の間で[に]，～の中で[に] ……40，102
☑ amusement park 名 遊園地 ……132
☑ *～, and so on* ～など ……34
☑ announcement 名 (アナウンスでの)知らせ，発表 ……116
☑ **anyone** 代 (否定文で)だれも～ない ……138
☑ arm 名 腕 ……76
☑ **around** 前 ～のまわりに ……103
☑ *around the world* 世界じゅうに[で] ……36
☑ **arrive** 動 到着する ……138
☑ **art museum** 名 美術館 ……132
☑ **as** 副 接 (as ～ as ... の形で) …と同じくらい～ ……56
☑ **ask** 動 求める ……138
☑ *ask for ～* ～を求める ……138
☑ *at first* はじめは ……130
☑ *at war* 戦争中で ……96
☑ atomic 形 原子(力)の ……122
☑ attention 名 注意 ……116
☑ attract 動 引きつける，魅了する ……110
☑ award 名 賞 ……88

B

☑ bacon 名 ベーコン ……27
☑ bank 名 銀行 ……132
☑ barrel 名 銃身 ……50
☑ **baseball stadium** 名 野球場 ……132
☑ basket 名 かご ……44
☑ *be able to ～* ～することができる ……62
☑ *be afraid of ～* ～を恐れる ……92
☑ *be glad to ～* ～してうれしい ……74
☑ *be going to ～* ～するつもりだ ……6

⧄ *be good at ~* ～が得意である ……70
⧄ *be interested in ~* ～に興味がある ……14
⧄ *be late for ~* ～に遅れる ……24
⧄ *be ready to ~* ～する準備[用意]ができている ……78
⧄ *be sorry for ~* ～をすまないと思う ……50
⧄ beak 名 くちばし ……60
⧄ beaver 名 ビーバー ……18
⧄ became 動 become(～になる)の過去形 ……76
⧄ *because of ~* ～のために ……56
⧄ **become** 動 ～になる ……70
⧄ bee 名 ハチ ……60
⧄ beef 名 牛肉 ……114
⧄ **been** 動 beの過去分詞形 ……108
⧄ behind 前 ～のうしろに ……102
Beijing 名 北京(中国の首都) ……116
⧄ **believe** 動 思う，信じる ……18
⧄ belt 名 ベルト，帯 ……120
Berlin 名 ベルリン(ドイツの首都) ……140
⧄ besides 副 そのうえ，さらに ……130
⧄ **better** 形 good(よい)の比較級 ……64
副 well(よく)の比較級 ……64
⧄ **between** 前 ～の間に ……100，102
⧄ *between ~ and ...* ～と…の間の[に] ……110
Big Ben 名 ビッグベン(イギリス国会議事堂の時計塔にある大きな鐘の愛称) ……38
⧄ bit 名 少し ……8
⧄ blame 動 とがめる，責める，非難する ……72
⧄ boarding 名 搭乗，(boarding gateで)搭乗口 ……116
⧄ bomb 名 爆弾 ……122
⧄ border 名 境界，国境 ……96
⧄ bored 形 退屈した ……76
⧄ boring 形 退屈な，つまらない ……64
⧄ bowl 名 どんぶり，わん ……106
⧄ breeze 名 微風，そよ風 ……114
⧄ **bring** 動 持ってくる ……16
British Museum 大英博物館 ……39
Broadway 名 (theをつけて)ブロードウェイ(ニューヨーク市を南北に走る大通りのひとつで，一流劇場が多く集まっている地区) ……33
⧄ broccoli 名 ブロッコリー ……26
⧄ **brought** 動 bring(持ってくる)の過去形《過去分詞形も同形》 ……48
⧄ **build** 動 建てる ……18
⧄ **built** 動 build(建てる)の過去分詞形《過去形も同形》 ……82
⧄ bun 名 ハンバーガーやホットドッグ用の小型パン ……34
⧄ burn 動 燃やす，焼く ……124
⧄ bury 動 埋葬する，埋める ……98
⧄ **bus stop** 名 バス停 ……133
⧄ butter 名 バター ……27
⧄ **by** 前 ～のそばに ……103
⧄ *by mistake* 誤って，間違って ……72
⧄ *by the way* ところで ……8

C

⧄ cabbage 名 キャベツ ……26
⧄ call 名 (電話などによる)呼び出し ……142
⧄ cancel 動 取り消す ……116
Captain Tsubasa 名 キャプテン翼(マンガのタイトル) ……110
⧄ **care** 名 注意，用心 ……8
⧄ carrot 名 ニンジン ……26
⧄ **carry** 動 運ぶ ……62
⧄ case 名 ケース ……14
⧄ castle 名 城 ……88
⧄ caught 動 catch(つかまえる)の過去分詞形《過去形も同形》 ……112

CBC 名 シービーシー（放送局名） …… 22
☑ celebrate 動 祝う，祝福する …… 86
☑ centimeter 名 センチメートル（長さの単位） …… 56
☑ challenge 動 挑戦する …… 92
☑ character 名（劇・小説・マンガなどの）登場人物，キャラクター …… 32
☑ cheap 形 安価な，安い …… 52
☑ cheese 名 チーズ …… 26
☑ chess 名 チェス …… 70
☑ chocolate 名 チョコレート …… 76
☑ **choose** 動 選ぶ …… 92
☑ chorus 名 合唱 …… 130
☑ church 名 教会 …… 132
☑ city hall 名 市役所 …… 132
☑ civil rights 名 公民権 …… 86
☑ clay 名 粘土 …… 122
☑ **clean** 形 きれいな …… 52
☑ close 副（[klous]で）近くに …… 40
☑ cloth 名 布，布切れ …… 114
☑ **clothes** 名 衣服，着物 …… 46
☑ coast 名 海岸 …… 98
☑ coat 名 コート，外とう …… 22
☑ coconut 名 ココナッツ …… 40
☑ coin 名 硬貨 …… 62
☑ *come back* もどる …… 46
☑ *come home* 家に帰る …… 6
☑ *come true* 実現する …… 36
☑ commercial 名 コマーシャル，広告放送 …… 84
☑ company 名 会社 …… 58
☑ condition 名 条件 …… 138
☑ contest 名 コンクール，競技会 …… 130
☑ **continue** 動 続ける …… 100
☑ contrabass 名 コントラバス …… 66
☑ **convenience store** 名 コンビニエンスストア …… 132
☑ cookie 名 クッキー …… 40
☑ corn dog 名 アメリカンドッグ …… 34
☑ corner 名 角 …… 133
☑ cost 動（費用・金額が）かかる …… 124
☑ cottage 名 小別荘，小ロッジ …… 40
☑ cotton 名 綿（わた，めん） …… 84
☑ cotton candy 名 綿あめ …… 34
☑ **could** 助 can（～できる）の過去形 …… 24
☑ *Could you ～?* ～していただけませんか。 …… 24
☑ cover 動 おおう …… 84
☑ creature 名 生物 …… 62
☑ **cry** 動 泣く …… 10
叫ぶ，大声をあげる …… 140
☑ *cry out* 叫ぶ …… 140
☑ *cut down ～* ～を切り倒す …… 18

D

☑ dam 名 ダム …… 18
☑ **daughter** 名 娘 …… 74
☑ *day by day* 日々，日ごとに …… 110
☑ dead 形 死んでいる …… 100
☑ **decide** 動 決定する …… 44
☑ dedicate 動 ささげる …… 88
☑ degree 名 度（温度の単位） …… 22
☑ **department store** 名 デパート …… 132
☑ **die** 動 死ぬ …… 46
☑ **difficult** 形 難しい …… 14
☑ dirty 形 汚れた，汚い …… 52
☑ dive 動 飛び込む …… 60
☑ *do my best* 最善[ベスト]をつくす …… 10
☑ **done** 動 do（する）の過去分詞形 …… 106
☑ *don't have to ～* ～する必要がない …… 16
☑ **door** 名 ドア，扉 …… 48
☑ Dr. 名 博士，医師（=doctor） …… 86

⧄ drop 動 落とす …… 50
⧄ **drums** 名 たいこ，ドラム …… 66
⧄ dry 形 乾燥した，かわいた …… 53
⧄ due 形 (due to ～で)～のせいで …… 116
⧄ *due to ～* ～のせいで …… 116
Dutch 形 オランダ(人)の …… 37

E

⧄ **each** 形 それぞれの …… 34
⧄ *each other* おたがいに[を] …… 100
⧄ earthquake 名 地震 …… 100
⧄ eastern 形 東部の，東の …… 100
⧄ **easy** 形 たやすい …… 14
⧄ **eaten** 動 eat(食べる)の過去分詞形 …… 106
⧄ eco-friendly 形 環境に配慮した，環境にやさしい …… 112
⧄ eel 名 ウナギ …… 44
⧄ effect 名 効果 …… 58
⧄ else 副 ほかに[の] …… 78
⧄ email 動 (電子)メールを送る …… 10
名 (電子)メール …… 82
⧄ empty 形 からの …… 52
⧄ end 動 終わる …… 142
⧄ **ending** 名 結末 …… 106
⧄ engineer 名 技術者，エンジニア …… 18
⧄ enter 動 入る …… 60
⧄ environment 名 環境 …… 124
Europe 名 ヨーロッパ …… 110
⧄ **even** 副 ～でさえ …… 90
⧄ **evening** 名 晩，夕方 …… 6
⧄ **ever** 副 これまでに …… 108
⧄ *every year* 毎年 …… 124
⧄ **everything** 代 すべてのこと …… 16
⧄ exactly 副 正確に，(Exactly. で)まったくそのとおり。 …… 18
⧄ **excited** 形 興奮した …… 76
⧄ **expensive** 形 高価な，高い …… 32，52
⧄ expressway 名 高速道路 …… 133

F

⧄ fact 名 事実 …… 130
⧄ factory 名 工場 …… 132
⧄ fail 動 失敗する …… 92
⧄ failure 名 失敗 …… 92
⧄ *fall down* 倒れる …… 50
⧄ fan 名 扇状のもの …… 114
⧄ farewell 名 別れ …… 8
⧄ farm 名 農場 …… 36
⧄ fell 動 fall(倒れる)の過去形 …… 50
⧄ felt 動 feel(感じる)の過去形《過去分詞形も同形》 …… 130
⧄ ferret 名 フェレット …… 20
⧄ Ferris wheel 名 観覧車 …… 133
⧄ fight 動 たたかう …… 86
⧄ find 動 わかる，気づく …… 142
⧄ *find out ～* ～を知る，～に気づく …… 76
⧄ fire engine 名 消防車 …… 133
⧄ **fire station** 名 消防署 …… 132
⧄ *first of all* 何よりもまず …… 18
⧄ flew 動 fly(飛ぶ)の過去形 …… 100
⧄ flour 名 小麦粉 …… 84
⧄ flute 名 フルート …… 66
⧄ fold 動 折る …… 124
⧄ footprint 名 足跡 …… 14
⧄ *for a long time* 長い間 …… 124
⧄ foreign 形 外国の …… 108
⧄ **forget** 動 忘れる …… 8
⧄ forgot 動 forget(忘れる)の過去形《過去分詞形も同形》 …… 120
⧄ former 形 (時間的に)前の，先の，以前の …… 100
⧄ fought 動 fight(たたかう)の過去形《過去分詞形も同形》 …… 86
⧄ fountain 名 噴水 …… 133

☑ **free** 形 自由な，ひまな …… 6
☑ friendship 名 親交，友情 …… 64
☑ furniture 名 家具 …… 20

G

☑ garbage 名 ごみ，(台所の)生ごみ …… 14
☑ **gas station** 名 ガソリンスタンド …… 132
☑ gate 名 門，(搭乗)口 …… 116
☑ gateway 名 (出)入り口 …… 106
☑ **gave** 動 give(与える)の過去形 …… 60
☑ *get home* 帰宅する …… 110
☑ *get ～ place* (競争などで)～位になる …… 70
☑ *get well* (体調が)よくなる …… 124
☑ **give** 動 与える …… 58
☑ *Give me five.* ハイタッチしよう。 …… 70
☑ **glad** 形 うれしい …… 74
☑ *go against ～* ～に逆らう …… 142
☑ *Go for it.* がんばって。 …… 32
☑ *go hiking* ハイキングに行く …… 14
☑ *go to bed* 寝る …… 16
☑ goldfish 名 金魚 …… 20
☑ *Good afternoon.* こんにちは。 …… 78
☑ *Good evening.* こんばんは。 …… 22
☑ *Good for you.* よかったですね。 …… 72
☑ *Good morning.* おはよう。 …… 24
☑ goods 名 商品，品物 …… 72
☑ goodwill 名 親善 …… 98
☑ gotten 動 get(得る)の過去分詞形 …… 108
☑ government 名 政府 …… 138
☑ greatly 副 大いに，非常に …… 86
☑ **ground** 名 地面 …… 50
☑ guide 動 案内する，道案内する …… 16
☑ **guitar** 名 ギター …… 66
☑ **gym** 名 体育館 …… 132

H

☑ **hair** 名 髪 …… 120
☑ **half** 名 半分 …… 120
☑ *half an hour* 30分 …… 120
☑ hallway 名 廊下 …… 16
☑ hamster 名 ハムスター …… 20
☑ *hand out ～* ～を手渡す …… 140
☑ hang 動 ぶら下がる …… 120
☑ happen 動 起こる …… 48
Happy Birthday 名 ハッピーバースデー(歌のタイトル) …… 88
☑ harmonica 名 ハーモニカ …… 67
☑ harmony 名 ハーモニー，調和 …… 82
☑ harp 名 ハープ …… 66
Harry Potter 名 ハリー・ポッター(小説のタイトル) …… 106
☑ hate 動 ひどく嫌う …… 56
☑ *have to ～* ～しなければならない …… 16
☑ **health** 名 健康 …… 64
☑ healthy 形 健康によい …… 36
☑ *hear of ～* ～のことを耳にする …… 110
☑ **heard** 動 hear(聞く)の過去分詞形《過去形も同形》 …… 110
☑ heart 名 心 …… 46
☑ heavy 形 重い …… 52
☑ *Here we go.* さあ，行きますよ。 …… 18
☑ **high** 形 高い …… 52
☑ high-tech 形 ハイテクの，高度先端技術の …… 56
Himeji Castle 名 姫路城 …… 88
☑ himself 代 彼自身に[を] …… 46
☑ hip-hop 名 ヒップホップ(音楽のジャンルの1つ) …… 32
☑ **history** 名 歴史 …… 14

⧄ **hit** 【動】(人・場所に)打撃を与える《過去形，過去分詞形も同形》……100
⧄ hold 【動】電話を切らないで待つ……24
⧄ *Hold on.* (電話で)お待ちください。……24
⧄ **holiday** 【名】休日……86
⧄ **hope** 【動】望む，希望する……8
⧄ **hospital** 【名】病院……132
⧄ however 【副】しかし……98
⧄ hurry 【動】急ぐ……16

I

I Just Called to Say I Love You 【名】心の愛(歌のタイトル)……88
⧄ **if** 【接】もし～ならば……6
⧄ *I'm sorry.* すみません。……48
⧄ importance 【名】重要性，大切さ……74
⧄ **in** 【前】～の中に……102
⧄ *in fact* 実際は……130
⧄ *in front of ～* ～の前で[に]……102
⧄ *in spite of ～* ～にもかかわらず……140
⧄ *in tears* 涙を流して，泣いて……142
⧄ *in the evening* 夕方に，夜に……6
⧄ *in the future* 将来に[は]……36
⧄ *in those days* 当時，そのころ……110
⧄ influence 【動】影響を及ぼす，感化する……86
⧄ information 【名】案内係……116
⧄ inner 【形】内なる，心の……142
⧄ instead 【副】その代わりに……34
⧄ *instead of ～* ～の代わりに……34
⧄ **interested** 【形】興味がある……14
⧄ interview 【動】インタビューする……64
⧄ **into** 【前】～の中へ[に]……103
⧄ introduce 【動】紹介する……142
⧄ *introduce himself* 自己紹介をする……142
⧄ inventor 【名】発明家，発明者……90
Iran 【名】イラン……96
Iraq 【名】イラク……97
Israeli Embassy 【名】(theをつけて)イスラエル大使館……142
⧄ issue 【名】(議論される重大な)問題……86

J

⧄ jail 【名】刑務所……88
Jewish 【形】ユダヤ人の……138
⧄ *Just a moment.* 少々お待ちください。……24

K

⧄ keep 【動】続ける……8
⧄ *keep ～ing* ～し続ける……90
⧄ *keep in touch* 連絡を取り続ける……8
⧄ kept 【動】keep(続ける)の過去形《過去分詞形も同形》……90
⧄ key 【名】かぎ……120
⧄ kindly 【副】親切に……72
⧄ kingfisher 【名】カワセミ……58
⧄ **kitchen** 【名】台所，キッチン……82
⧄ known 【動】know(知る)の過去分詞形……84

L

⧄ **land** 【動】着陸する……96
⧄ lasting 【形】永続的な……120
⧄ **late** 【形】遅れた，遅い……24
⧄ **later** 【副】あとで，後に……22
⧄ leaf 【名】葉……58
⧄ leaves 【名】leaf(葉)の複数形……58
⧄ **left** 【動】leave(置いていく，出発する)の過去形《過去分詞形も同形》……48
⧄ lend 【動】貸す……70
⧄ less 【形】little(少ない)の比較級……126
⧄ **library** 【名】図書館……132

☑ lid 名 ふた……58
☑ **light** 形 軽い……32, 52
☑ light bulb 名 電球……90
☑ limit 動 限る, 制限する……140
☑ **line** 名 列, 行列……46
線……82
☑ list 名 リスト, 一覧表……112
☑ listener 名 聞き手……74
Lithuania 名 リトアニア……138
☑ little 副 ほとんどない, ほんの少し……140
☑ **lives** 名 life(命)の複数形……142
☑ lobster 名 ロブスター(大型の食用エビ)……34
☑ local 形 地元の……8
☑ lock 動 閉じ込める……88
☑ lodge 名 (ビーバーなどの)巣……18
☑ lonely 形 さびしい……72
☑ *look around* あたりを見回す……50
☑ *look for 〜* 〜をさがす……120
☑ *look like 〜* 〜のように見える……36
☑ lotus 名 ハス……58
☑ loud 形 (音・声が)大きな……60
☑ **low** 名 (温度などの)最低値……22
形 低い……52

M

☑ machine 名 機械……36
☑ mailbox 名 郵便ポスト……133
☑ mailman 名 郵便配達員……74
☑ *make up his mind* 決心する……140
☑ *many times* 何回も……76
Martin Luther King, Jr. マーティン・ルーサー・キング, ジュニア(人名)(キング牧師)……89
☑ **may** 助 〜してよい……24
☑ may 助 〜かもしれない……58
☑ *May I 〜?* 〜してもよろしいですか。……24
☑ **maybe** 副 たぶん, おそらく……24
☑ mayonnaise 名 マヨネーズ……112
☑ meeting 名 会合, 集まり……24
☑ **message** 名 伝言, 伝えたいこと……86
☑ **met** 動 meet(会う)の過去形《過去分詞形も同形》……98
☑ **meter** 名 メートル……70
☑ million 名 100万……88
☑ *millions of 〜* 何百万もの〜, 非常にたくさんの〜……88
☑ mind 名 心, 気持ち……140
☑ minus 形 氷点下の, マイナスの……22
☑ mission 名 任務, 使命……98
☑ mistake 名 間違い, 手違い……72
☑ model 動 (手本にして)作る……60
☑ moment 名 少しの間, 一瞬……24
Monet 名 モネ(人名)(クロード・モネ, 印象派を代表するフランスの画家)……110
☑ **money** 名 金, 通貨……64
Montreal 名 モントリオール(カナダの都市)……22
☑ monument 名 記念碑……122
☑ **more** 副 もっと(muchの比較級)……56
☑ more 形 もっと多くの……140
☑ **most** 副 もっとも(muchの最上級)……56
☑ **move** 動 引っ越す……8
感動させる……122
☑ Mt. 名 〜山(=Mount)……56
☑ mushroom 名 キノコ……26
☑ **must** 助 〜しなければならない……14
☑ mutual 形 相互の……86
☑ *My pleasure.* 喜んで。……8
☑ mystery 名 推理もの, なぞ……106

N

⧄ nail 名 つめ……20
⧄ narrow 形 狭い……52
⧄ national 形 国の……18
Nazis 名 (theをつけて)ナチ党(1920-1945年までヒトラーが率いたドイツの極右政党)……139
⧄ nearby 形 近くの……98
⧄ neighbor 名 隣人……48
⧄ neither 副 ～もまた…ない……122
Nelson Mandela 名 ネルソン・マンデラ(人名)(元南アフリカ共和国大統領)……89
⧄ nervous 形 不安で……130
Netherlands (theをつけて)オランダ(Hollandの正式名)……36
New York 名 ニューヨーク(アメリカの都市，または州)……32
⧄ next 形 次の，今度の……6
⧄ nod 動 うなずく……50
⧄ no-fly zone 名 飛行禁止地帯……96
⧄ noise 名 騒音……60
⧄ noodle 名 めん類，ヌードル……34
⧄ *not ～ any more ...* これ以上の…を～ない……140
⧄ *not as ～ as ...* …ほど～ない……56
⧄ *Not yet.* まだです。……112
⧄ **nothing** 代 何も～ない……6
⧄ novel 名 小説……106

O

⧄ obey 動 従う……140
⧄ **office** 名 会社……132
⧄ **on** 前 ～の上で[に]……103
⧄ *on the way (back) to ～* ～へ行く(もどる)途中で……98
⧄ *one after another* 次々と……96
⧄ *one day* ある日……44
⧄ *one night* ある夜[晩]……48
⧄ onion 名 タマネギ……26
⧄ order 動 注文する……78
名 命令……140
⧄ original 形 独創的な……27
⧄ **out** 副 外へ[に]……44
⧄ *out of ～* ～の外へ[に]……44，102
⧄ **over** 副 ～のいたるところで，越えて……84，102
⧄ overseas 副 外国に，海外へ……10

P

⧄ pack 名 1包み[箱]……72
⧄ package 名 包み……74
⧄ paint 動 (絵具で絵を)描く……84
⧄ pancake 名 パンケーキ……112
⧄ **paper** 形 紙の，紙製の……114
⧄ paper clip 名 ペーパークリップ……62
⧄ park 名 公園……132
⧄ parking lot 名 駐車場……133
⧄ parrot 名 オウム……20
⧄ **part** 名 部分……110
⧄ party 名 一行，一団……78
⧄ **pass** 動 (人が)死ぬ，他界する……122
⧄ *pass away* 亡くなる……122
⧄ passenger 名 乗客，旅客……116
⧄ patent 名 特許……90
⧄ **peace** 名 平和……120
⧄ penny 名 アメリカの1セント硬貨(直径約19mm)……60
⧄ pepper 名 コショウ……27
⧄ permission 名 許可……138
⧄ pet 名 ペット……20
⧄ **piano** 名 ピアノ……67
⧄ pick 動 つまみとる……14
⧄ *pick up ～* ～を拾い上げる，手に取る……14
⧄ piece 名 1つ，1枚……112
⧄ plan 名 計画，プラン……6

⧄ plant 名 植物 ……62
⧄ plastic 形 プラスチック[ビニール]の ……112
⧄ *play a trick on ～* ～にいたずらをする ……44
⧄ pleasure 名 喜び ……8
⧄ **police station** 名 警察署 ……132
⧄ political 形 政治の ……86
⧄ pollen 名 花粉 ……62
⧄ pond 名 池 ……102
⧄ pop 形 大衆向きの ……108
⧄ positive 形 前向きな，肯定的な，楽観的な ……92
⧄ **post office** 名 郵便局 ……132
⧄ **potato** 名 ジャガイモ ……26
⧄ potato chip 名 ポテトチップ ……14
⧄ potential 名 可能性 ……62
⧄ practical 形 実用的な ……90
⧄ **present** 名 贈り物，プレゼント ……32
⧄ president 名 大統領 ……88
⧄ pretzel 名 プレッツェル(塩味のカリッとしたビスケット) ……34
⧄ prize 名 賞 ……130
⧄ probably 副 たぶん，十中八九 ……46
⧄ professional 形 プロの ……108
⧄ pronounce 動 発音する ……142
⧄ protect 動 守る，保護する ……18
⧄ pumpkin 名 カボチャ ……26

Q

⧄ quit 動 (仕事などを)やめる ……142
⧄ quiz 名 小テスト ……32

R

⧄ **racket** 名 ラケット ……32
⧄ rainbow 名 虹 ……56
⧄ raincoat 名 レインコート ……22
⧄ raindrop 名 雨だれ，雨つぶ ……58
⧄ ran 動 run(走る)の過去形 ……44
⧄ ready 形 準備[用意]ができた ……78
⧄ **receive** 動 受けとる ……124
⧄ recommend 動 勧める ……78
⧄ **recycle** 動 再生利用する ……124
⧄ recycled 形 再生された，再生(の) ……122
⧄ **remember** 動 覚えている，思い出す ……72
⧄ renew 動 再び新しくする ……124
⧄ repeatedly 副 くり返して ……114
⧄ rescue 名 救助 ……62
⧄ respect 名 尊敬，敬意 ……88
⧄ respectfully 副 うやうやしく ……100
⧄ **restaurant** 名 レストラン ……132
⧄ **return** 動 帰る，もどる ……100
⧄ rifle 名 銃 ……48
⧄ **right** 形 正しい ……53
⧄ ring 名 指輪 ……53
⧄ roller coaster 名 ジェットコースター ……133
⧄ rule 名 規則，ルール ……16
⧄ *run away* 逃げる ……46
⧄ *run short* 不足する ……96

S

⧄ **said** 動 say(言う)の過去形《過去分詞形も同形》 ……10
⧄ salt 名 塩 ……27
⧄ **sang** 動 sing(歌う)の過去形 ……10
⧄ sank 動 sink(沈む)の過去形 ……48
⧄ satisfy 動 満たす，充足させる ……138
⧄ sauce 名 (料理の)ソース ……112
⧄ saxophone 名 サクソフォン，サックス ……66
⧄ *say hello to ～* ～によろしくと言う ……10

☑ *say to himself* 心の中で考える ……46
☑ **school** [名] 学校 ……132
☑ schoolyard [名] 校庭 ……133
☑ scientist [名] 科学者 ……90
☑ score [名] 得点，成績 ……70
☑ sculpture [名] 彫像 ……128
☑ seafood [名] シーフード，海産物 ……40
☑ search [名] 捜索，探索 ……62
☑ **seen** [動] see(見る)の過去分詞形 ……82
☑ *See you.* またね。[じゃあね。] …24
☑ **sell** [動] 売る ……82
☑ **send** [動] 送る ……76
☑ sent [動] send(送る)の過去形《過去分詞形も同形》 ……96
☑ *set up ～* ～を創設する，～を設立する ……88
☑ sharpen [動] (つめなどを)とぐ，とがらせる ……20
☑ shelf [名] たな ……72
☑ shelves [名] shelf(たな)の複数形 ……72
☑ *shoot down ～* ～を撃ち落す ……96
☑ **should** [助] ～すべきである，～したほうがよい ……20
☑ shout [動] 叫ぶ ……44
☑ show [動] 示す，見せる ……36
☑ shower [名] にわか雨，夕立ち ……22
[動] にわか雨が降る ……22
☑ **sick** [形] 病気の ……46
☑ similar [形] 類似した ……110
☑ **since** [接] ～して以来，～してから ……120
☑ sink [動] 沈む，落ち込む ……46
☑ situation [名] 情勢，状況 ……110
☑ sketchbook [名] スケッチブック ……24
☑ sky [名] 空 ……40
☑ slept [動] sleep(眠る)の過去形《過去分詞形も同形》 ……90
☑ sly [形] ずるい，悪賢い ……44
☑ smartphone [名] スマートフォン ……64
☑ smoke [名] 煙 ……50
☑ soap [名] せっけん ……122
☑ soil [名] 土壌，土 ……36
☑ sold [動] sell(売る)の過去分詞形《過去形も同形》 ……82
☑ solve [動] 解決する，解く ……60
☑ *Some ～. Others ....* ～もいれば，…もいる。 ……36
☑ **someone** [代] だれか ……48
☑ **son** [名] 息子 ……74
☑ **soon** [副] すぐに，まもなく ……8
☑ sore [形] 痛い ……140
South Africa [名] 南アフリカ共和国 ……89
☑ souvenir [名] みやげ ……122
☑ soy sauce [名] しょうゆ ……27
☑ soybean [名] 大豆 ……84
☑ space [名] 空間 ……62
☑ specialty [名] 特技，得意なこと ……124
☑ spite [名] (in spite of ～で)～にもかかわらず ……140
☑ splash [名] 水しぶき，(水などの)ザブンという音 ……60
☑ spoke [動] speak(話す)の過去形 ……74
☑ sportswriter [名] スポーツ記者 ……108
☑ spot [名] 場所，地点 ……40
☑ square [形] 正方形の，四角い ……114
☑ squirrel [名] リス ……20
☑ start [名] 開始，始まり ……6
☑ **station** [名] 駅 ……132

☑ stationery 名 文房具，事務用品 ……82
☑ statue 名 像 ……133
☑ stay 名 滞在 ……10
☑ steal 動 盗む ……46
☑ step 名 (複数形で)(ダンスの)ステップ ……32
Stevie Wonder 名 スティービー・ワンダー(人名)(アメリカのミュージシャン) ……86
☑ stick 動 くっつく ……58
☑ *stick to 〜* 〜にくっつく ……58
☑ stole 動 steal(盗む)の過去形 ……46
☑ **story** 名 話，物語 ……70
☑ strange 形 奇妙な ……48
☑ subway 名 地下鉄 ……132
☑ **such** 形 そのような ……90
☑ *such as 〜* たとえば〜など ……90
☑ suddenly 副 突然，急に ……96
☑ sugar 名 砂糖 ……114
☑ sung 動 sing(歌う)の過去分詞形 ……82
☑ surf 動 サーフィンをする ……40
☑ survivor 名 生存者 ……98
☑ sweat 動 汗をかく ……126
☑ sweaty 形 汗びっしょりの，汗をかいた ……74

T

☑ tackle 動 取り組む ……84
Tahiti 名 タヒチ(島) ……40
☑ *Take a look.* 見てください。 ……122
☑ *take action* 行動を起こす ……74
☑ *take care* 気をつける，注意する ……8
☑ **taken** 動 take(とる)の過去分詞形 ……106
☑ talent 名 才能，適正 ……62
☑ **tall** 形 背の高い ……38
☑ taste 名 風味，味わい ……32
動 (〜な)味がする ……78
☑ **taught** 動 teach(教える)の過去形《過去分詞形も同形》 ……74
☑ taxi 名 タクシー ……133
☑ tear 名 涙 ……142
☑ teeth 名 tooth(歯)の複数形 ……44
☑ telegram 名 電報 ……138
☑ telephone booth 名 電話ボックス ……133
☑ temperature 名 温度，気温 ……22
☑ **than** 接 前 〜よりも ……56
☑ *the dead* 死者 ……100
the Hiroshima Peace Memorial Park 広島平和記念公園 ……122
☑ *these days* このごろ，近ごろ ……48
☑ thick 形 厚い ……53
(液体などが)濃い，濃厚な ……128
☑ thin 形 薄い ……53
☑ *this time* 今度は ……50
Thomas Alva Edison 名 トーマス・アルバ・エジソン(人名)(アメリカの発明家) ……92
☑ though 接 (〜である)けれども，〜にもかかわらず ……130
☑ **thought** 動 think(考える)の過去形《過去分詞形も同形》 ……46
☑ *thousands of 〜* 何千もの〜，数千もの〜 ……142
☑ **through** 前 〜を通して ……84
〜を通りぬけて ……103
☑ **to** 前 〜へ ……103
☑ **tomato** 名 トマト ……26
☑ tooth 名 歯 ……44
☑ toothpick 名 つまようじ ……34
☑ touch 動 感動させる ……130
☑ tourist 名 旅行者，観光客 ……40
☑ tower 名 塔，タワー ……38
☑ transit 名 通過，通行 ……138

⧄ treat 動 扱う ……72
⧄ trick 名 いたずら ……44
⧄ trouble 名 困りごと，困難 ……18
⧄ truck 名 トラック ……132
⧄ true 形 ほんとうの ……16
⧄ truly 副 ほんとうに ……140
⧄ trumpet 名 トランペット ……66
⧄ T-shirt 名 Tシャツ ……84
⧄ tunnel 名 トンネル ……60
Turkey 名 トルコ ……98
Turkish 形 トルコ(人)の ……96
⧄ turtle 名 カメ ……20
⧄ **twice** 副 2度，2回 ……108
⧄ typhoon 名 台風 ……98

U

UFO 名 未確認飛行物体，ユーフォー ……108
uh-oh 間 ああ(驚いたり，困ったときに出る声) ……16
⧄ **under** 前 ～の下に ……103
⧄ **understand** 動 わかる，理解する ……98
⧄ unicycle 名 一輪車 ……70
⧄ unusual 形 ふつうでない，めずらしい ……112
⧄ *up close* すぐ近くで[に] ……40

V

van Gogh 名 ファン・ゴッホ(人名)(ビンセント・ファン・ゴッホ，オランダの画家) ……111
Vancouver 名 バンクーバー(カナダの都市) ……22
⧄ vendor 名 物売り ……34
⧄ victim 名 犠牲者 ……122
⧄ **village** 名 村 ……98
⧄ violin 名 バイオリン ……66
⧄ visa 名 ビザ，査証 ……138
⧄ **voice** 名 声 ……36

W

⧄ waiting room 名 待合室 ……72
⧄ *walk up ～* 歩いて～を上る ……76
⧄ **war** 名 戦争 ……96
⧄ weakly 副 弱く，弱々しく ……50
⧄ wet 形 ぬれている ……53
⧄ *What's up?* どうしたの。 ……8
⧄ while 接 ～する間に ……74
⧄ *Who's calling?* (電話で)どちら様ですか。 ……24
⧄ wide 形 広い ……53
⧄ **will** 助 ～しようと思う，～でしょう ……6
⧄ windy 形 風のある，風の強い ……22
⧄ wing 名 翼，羽 ……110
Winnipeg 名 ウィニペグ(カナダの都市) ……23
⧄ **with** 前 ～といっしょに ……103
⧄ **without** 前 ～なしで ……60
⧄ wood 名 木材，(複数形で)森，林 ……84
⧄ **word** 名 ことば ……108
⧄ worker 名 仕事[勉強]をする人，労働者 ……90
⧄ worried 形 心配な ……8
⧄ **worry** 動 心配する ……14
⧄ *Would you like ～?* ～はいかがですか。 ……78
⧄ wrap 動 包む ……114
⧄ **written** 動 write(書く)の過去分詞形 ……82
⧄ **wrong** 形 間違っている ……24，53
⧄ **wrote** 動 write(書く)の過去形 ……140

X

⧄ xylophone 名 シロフォン，木琴 ……66

Y

Yellowknife 名 イエローナイフ（カナダの都市）……23

⧄ **yet** 副（疑問文で）もう，（否定文で）まだ……106

⧄ yogurt 名 ヨーグルト……58

⧄ yummy 形（Yummy.で）おいしい。……82